El amor de Penny Robinson

ALONSO GUERRERO

El amor de Penny Robinson

Segunda edición

www.editorialberenice.com

Primera edición: marzo de 2018
Segunda edición: marzo de 2018

Colección Novela

Director editorial: Javier Ortega

Maquetación: Ana Cabello

Impresión y encuadernación:
CPI Black Print

ISBN: 978-84-17229-64-1
Depósito Legal: CO-29-2018

Impreso en España/*Printed in Spain*

Solo un idiota cree
que puede escribir la verdad sobre sí mismo.
ERIC AMBLER

Por razones que no vienen al caso, perdí mi vida privada entre las nueve y las diez de la noche del pasado doce de noviembre, día de mi cumpleaños. Digo perdí, pero en realidad me la arrebataron de un zarpazo. Desde entonces no he vuelto a pisar con negligencia los lugares públicos, ni contemplo los atardeceres sin que me separe de ellos una cortina de teatro. Y todo porque un desconocido me sacó una foto con un teléfono móvil, desde el otro lado del cristal de un escaparate. Mi esposa y mi hijo habían improvisado una pequeña celebración en *La abuela Polina*, la pastelería que hay al lado de casa. Era muy tarde para celebraciones, pero el trabajo es el trabajo. Pedimos prestado a la dulcera un cuchillo para cortar la tarta y mi mujer estaba repartiendo los trozos cuando aquel extraño nos hizo la foto y desapareció, como si un cadáver sonriente la estuviera esperando en la recepción de un hotel fantasmal. Aunque no me di cuenta, podía haber sido un mal presagio. La dulcera sí se percató de lo que ocurría.

—Ese tipo vive por aquí cerca —me dijo.

En aquel momento ignoraba que ella supiera más que yo. Lo cierto es que con un aparato que ni siquiera molesta en el bolsillo te arrancan lo que más importa: una apariencia. El que haya pasado por una situación semejante sabe a qué me refiero. La instantánea, con aquella tarta menesterosa ocupándolo todo, apareció al día siguiente en las revistas. La propia dulcera me llamó para enseñármelas, y me explicó que, según había leído, lo que al parecer me colocaba en la picota era mi relación, en el pasado, con alguien que había empezado a interesar a todo el mundo. El tipo del teléfono móvil tuvo el talento suficiente para separar la escena que fotografió de su significado. Yo aparecía solo, a pesar de la distancia que nos separaba del escaparate, ensimismado como un cuervo en una diadema. Parecía una foto borrosa a propósito, hecha desde el puesto de un francotirador.

Lo que ocurre después de hechos tan inexplicables te obliga a iniciar una vida en otro sitio. Si hay amigos, se mantienen al margen, como si te vieran sentado en el banquillo de Nüremberg. A cambio, tu vida se llena de personas que se presentan con la excusa de conocerte, pero en realidad vienen a arrancarte pedazos. Gente sin escrúpulos, cargados con equipajes de tránsito. Al final todos terminan sin careta. La popularidad, ese linchamiento en el que nadie toca a nadie, no está hecha para los que solo deseamos que se hable de nosotros como de personas muertas, con el despiadado respeto que se les tiene a los que no pueden ya impugnar nada.

Arramblaron con parte de mi pasado, pero he de reconocer que también me devolvieron muchos años que tenía olvidados. Todo el mundo entró en ese río con botas de goma, como los buscadores de oro. Si alguna vez alguien me había dicho por qué me amaba, qué vio en mis ojos prematuramente cansados, qué palabras dije y cuáles callé, a partir de aquel doce de noviembre tuve que salir en busca de todas esas pertenencias que parecían de otro, atribuidas o inventadas por los que, de la noche a la mañana, empezaron a organizar mi vida.

Eso es perder la intimidad: no cerrar con llave la puerta de tu casa hasta que, de repente y sin saber por qué, empiezas a compartirla con desconocidos que entran y salen por las ventanas. Eso tiene estar en boca de todos. Si te equivocas, no puedes rectificar. Si callas, no podrás hablar en adelante. Si hablas, ya no podrás guardar silencio. Cada uno de esos actos queda grabado en unas tablas de la ley. Entregas tu vida a granel sabiendo que la van a vender al pormenor. Muchos se dejan enredar en tales manejos, en pos de oportunidades que no existen. Dan lo que sienten a los que no saben entenderlo, a desconocidos a los que escupiría en la cara si los viera, aunque los veo todos los días.

El rumor de que estaba en paradero desconocido, difundido por la misma revista que publicó la foto de la pastelería, me llegó de boca de los propios compañeros de trabajo. Alguien de la revista salió en televisión el lunes, adelantando la exclusiva. Ahí empezó mi existencia de hombre de la multitud. No había vivido sin rostro ni cronología desde que, a los veinte, para pagarme la carrera, me enrolé de camarero en un barco que surcaba los fiordos noruegos. Sin embargo esta vez, a sabiendas de que me buscaban, no varié un ápice mis costumbres habituales. Me levantaba a las siete, comía en el mismo restaurante económico, con bonos de la empresa, y regresaba a casa buscando las palabras que iba a poner sobre el papel después de la cena. Escribía a esa hora desde los quince años, así que mi esposa tenía razón cuando decía que aquello era una oración infantil antes de acostarme. Lo que vendieron los sepultureros de las cadenas televisivas, aquellos breves días en que todavía no habían averiguado mi dirección, fue que algo debía de estar poniendo a buen recaudo. Una especie de urna con cenizas que lleva de un sitio a otro, dijo alguien. Mi presente no les interesaba, porque existía el riesgo de que fuera yo quien lo contase. Mi futuro aún menos, pero el pasado era otra cosa. Mi pasado era de ellos. Podían inventarlo, ensuciarlo o convertirlo en un despojo. De hecho, pusieron en mi boca tantas sandeces que mi propio padre me llamó para preguntarme si había dicho lo que decían que había dicho.

—¿Tienes alguna duda? ¿Acaso no lo has visto en televisión? —me burlaba yo.

Les concedes una entrevista y te escriben un epitafio. Luchas por la posteridad, como Aquiles, y te cae encima la actualidad. Desde que tenía uso de razón, había colocado una palabra detrás de otra con los mismos gestos que un herrero del siglo XV, para que duraran y fueran útiles y hermosas. A partir de ese doce de noviembre, las palabras me fueron confiscadas. No tuve acceso a ellas y, si las usé, fue solo para defenderme. Hubo una época en que creí que las palabras me llevarían a la cúspide de una montaña destinada solo a mí. Las buscaba como un puto Flaubert. Ahora las cosas han cambiado. Ahora soy famoso solo para *voyeurs* y *flâneurs*. Me he convertido en presa de los desocupados. ¿Sabe la gente qué poco margen deja un purgatorio de esa clase? Claro que uno llega a habituarse, a jugar a distancia con lo que ha sido. Es una especie de conformismo. Ahí radica el problema de muchos sobre los que la sociedad se empeña en estar informada.

Antes de esa foto yo tenía secretos. Podía tenerlos, porque a nadie importaban. Solo el azar nos mantiene como una promesa, con todo por delante. Cuando me tomaron la foto yo era una promesa de cuarenta y un años. Aún tenía un mundo ante mí, y cierto tiempo para desdeñarlo. Al día siguiente, el bibliotecario del Ayuntamiento, con quien de vez en cuando hablaba de libros, me telefoneó para decirme en qué revista había aparecido.

—Las he visto todas —le dije.

Mi cumpleaños cayó en viernes, y la foto apareció el sábado. Según la revista que la publicó, pasé en paradero desconocido desde ese sábado al miércoles siguiente, pues los fotógrafos de prensa fueron incapaces de localizarme. ¿Huido? Nadie hace preguntas en los semanarios. Todas son retóricas. Se me atribuyó una evasión que dejaba la de Steve McQueen a la altura del betún. Corrí por carreteras secundarias, hacia un lugar que buscaron y finalmente encontraron. Una casa rural en los Montes de Toledo, en la que teníamos reservada una habitación desde dos meses antes, para aprovechar los dos días libres que me debían en la empresa. El casero apareció en televisión y echó una mirada retrospectiva. Qué fue lo que hice y con qué disimulos lo hice: la hora de bajar al desayuno, los paseos por el campo, la inusitada normalidad con que fingí lo que no era y el descaro con que representé lo que fingía.

Fue aquel trazo zigzagueante lo que me obligó a pensar en mí mismo, a ponerme en el lugar de los que hablaban de mí. En tales circunstancias los interrogantes vienen solos: ¿Por qué un desconocido te hace fotos sin pedir permiso? ¿Existe alguna sanción para eso? ¿Por qué alguien se las compra? ¿Por qué a un casero en medio del monte le parece imperdonable haber hablado conmigo de la mermelada sin reconocerme? Al fin llegué a ver, en televisión, la cara del tipo que tomó la foto en que yo miraba mi historia, que no mi porvenir, en un plato de postre. El tipo declaraba lo afortunado que había sido por tener la mejor batería de móvil del mercado. Nunca he sido fotogénico. Además tenía gripe y los ojos se me hundían en una cara a la que le sobraba cansancio. En las siguientes semanas pasaron ante mí, en pantallas o en revistas, muchas viejas fotos, fotos olvidadas, fotos lo bastante perdidas o íntimas para extraviarse en ese bosque lleno de glorietas y claros imprevistos que llamamos pasado. A todas ellas me enfrenté con aquellos ojos de atronado que tenía cuando me fotografiaron soplando los dos números de la tarta, y después devorándola, a través del escaparate de *La abuela Polina*. Con aquellos ojos que no descansaban tuve que seguir, durante semanas, las carrozas desfilando a lo largo de un sambódromo de injusticias. Esa fue la primera impresión que brindé al mundo de lo que el mundo tenía que ver en mí, según los periódicos.

El miércoles me levanté temprano y fui a trabajar con una polilla buscando luces dentro de la cabeza. A la vuelta el vecino, un abogado que tenía el bufete en el entresuelo, había sorprendido a un extraño hurgando en mi buzón, un hombre que había huido al oír pasos en la escalera. El segundo alienígena en seis días, pensé.

—Es uno de ellos —dijo el abogado, más versado que yo en ese tipo de casualidades.

—¿Pero es que hay más? —pensé en voz alta. Entonces el abogado se asomó a la calle y formuló su tesis de que con toda seguridad los demás habían ido a comer.

—Lo sorprendente es que no hayan dejado a nadie de guardia —dijo.

—¿Cómo que de guardia?

—Yo lo habría hecho —aseguró.

Permanecimos quince segundos mirando calle arriba y calle abajo. Al día siguiente, cuando me vi junto al abogado, durante ese instante petrificado, en la sección de sociedad de un periódico, con un pico de la camisa colgando fuera del pantalón y la chaqueta terciada en el brazo, deduje que esta vez la foto había sido obtenida por alguien muy cercano y, a juzgar por el ángulo y las sombras que proyectábamos en el suelo, como esponjadas con serrín de carnicero, el punto se concretaba en una ventana alta del edificio de enfrente. En ella había visto muchas tardes a una señora entrada en años que se desvivía contemplando el crepúsculo frente al abra del paso de carruajes. Resultó que la foto no era el fruto de un momento casual, sino que se había sacado de una toma de vídeo de quince segundos, aquéllos en los que el abogado y yo habíamos estado contemplando no se sabía si el este o el oeste. Pasaron toda la película en televisión. La televisión es una ladera nevada donde solo ruedan y engordan las piedras de *atrezzo*. En mitad de la calle, de pie junto a una pequeña hormigonera que había en una obra cercana, mirando a un lado y otro bajo la luz impertérrita de noviembre, a veces mirando en direcciones opuestas, el abogado y yo parecíamos dos cartógrafos enemistados. Vi toda la secuencia sin hallar esa fuerza necesaria para inmutarme, mientras escuchaba los comentarios de personajes sentados en un plató lleno de gente a quien daban la espalda. Que fuera un vídeo me hizo dudar de que su artífice fuese la vieja dama que salía al atardecer a regar las macetas. Demasiada tecnología y demasiado cálculo para quien solo tiene el mal hábito de aburrirse ante una pantalla. Sin embargo, no quise asegurarme. Nunca he tenido tales revesinos. Que una señora que había conocido a Manuel Azaña se hubiese convertido en torreta de la línea de vigilancia que el ocio de los mirones había levantado a lo largo de mis posibilidades en la vida no me parecía inverosímil, pero me sacaba de quicio. No me atreví a cruzar la calle, llamar a su puerta y pedirle explicaciones. Hubiera tenido que preguntarle: «¿Cuánto ha ganado con esto?». Alguno de mis prejuicios se rebeló, porque seguí saludándola desde el balcón, aunque después ambos cerrábamos las persianas lo más ruidosamente que podíamos.

Había asuntos más importantes: la carta robada. Se lo pregunté al abogado, pero no se había fijado en si el extraño del buzón huyó con papeles, aunque fueran los sobres bancarios que llegaban diariamente. Era inquietante, porque estaba esperando varios envíos de suma importancia: libros encargados por internet, un talonario de cheques, respuestas de editoriales a las que había enviado una novela cuyo tema esencial e irrenunciable era la condición humana y, finalmente, la carta de Pablo Naya, un amigo de infancia al que había conseguido localizar después de veinticinco años, y exigido que me escribiera un pliego de su puño y letra por razones que se remontaban a la infancia compartida en la escuela. La posibilidad de que esa carta desapareciese me subyugaba. Provenía de Kinshasa, en cuya embajada él trabajaba de agregado. Sabía que me la había enviado, y la esperaba desde hacía al menos una semana. Tenía que llegar por valija diplomática, pero en vista de la procedencia yo no veía distinción entre una valija y el pico de un albatros herido.

Recuerdo que el teléfono empezó a sonar a las tres de la tarde de ese miércoles, diecisiete, y ya no paró en los cuatro días siguientes. Lo supe porque tras desviar las llamadas al número del móvil, tuve que tirar el móvil en una cuneta cuatro días después. Los mensajes atracaban en mi bandeja de entrada como barcos llenos de ratas. Lo comprobé en cibercafés solitarios —los únicos sitios donde nadie conoce a nadie— a la caída de la noche. Todos esos mensajes coincidían en una pregunta que, desde mucho antes de la adolescencia, yo mismo me hacía: ¿quién era yo? En principio, yo era un férreo custodio de las direcciones electrónicas. No obstante, todas las redacciones de revistas y hebdomadarios parecían tener mis señas, como si el espía del Stratego las hubiese estado repartiendo. Me negué a contestar a las preguntas, algunas por ser indiscretas, otras por estar escritas en idiomas que no conocía. Los periodistas son los únicos que aún ignoran que en este mundo no hay exclusivas, que la actualidad es inmutable desde el poema de Gilgamesh. Yo había madurado intuyendo esta certeza y, no obstante, fui incapaz de bajarme del pedestal que me convertía en una exclusiva. Al volver del trabajo el jueves, un remolino de fotógrafos de prensa me aguardaba en el portal de mi casa. Había luchado por convertirme en un escritor, y de la noche a la mañana me vi convertido no ya en un tema, sino en un tópico. Dije un par de cosas atropelladas que fueron tomadas por declaraciones. Lo mismo ocurrió al día siguiente, así que mi esposa y mi hijo tuvieron que irse a casa de su madre, como en las películas americanas. El niño no entendía por qué gente que no nos conocía de nada nos hacía tantas preguntas.

Empecé a dormir solo en una cama forrada de musgo, como las piedras que dan al norte, sin encender la luz, porque me parecía barruntar en la calle un montón de cigarrillos de gente apostada. Los periodistas habían convertido la vía pública en una barraca de espejos. Aparecían y desaparecían con sus credenciales de ciudadanos impunes y su paciencia de jardineros de camposanto. El timbre no cesaba de sonar y algunos subían hasta el primer piso y golpeaban en la puerta, con el micrófono en la mano y una acuciante pregunta en los ojos que ya traían contestada de las redacciones.

Al cabo de una semana había sopesado mil destinos, mil soledades sin retorno, mil ciudades deshabitadas, mil silencios guardados en barricas… Finalmente opté por el hotel Oporto, sito en la ciudad donde vivía y donde hasta los pájaros me hubieran dado hospedaje. Aquel hotel junto a la autovía me pareció el lugar más periférico del mundo, muy conveniente para alguien a quien la prensa suponía en una cámara acorazada. Se levantaba en las estribaciones de un polígono industrial y, entre otras razones, me gustó porque al cabo de su alfombra descolorida partía un ramillete de vías de escape. Me alojé en él la primera semana. Desde allí hasta llegar al trabajo, al menos, era una persona normal. Tomaba el coche por las mañanas y lo aparcaba en el garaje de la oficina. Cuando se descubrió todo el pastel mis colegas fueron bastante discretos. A todas luces, aquello les sobrepasaba, y cabalmente pensaron que también me sobrepasaba a mí. Casi nadie me preguntó nada. Nadie me pidió que declarase cuan ridículo me sentía. Quizá por eso todo era artificial, contenido, a mi alrededor. El conserje me saludaba con demasiada cortesía, la papelera de mi jefe de negociado rebosaba papel cuché. En la cafetería me daban las mejores tapas. Los pájaros no cantaban y las secretarias pasaban demasiado tiempo juntas en el servicio. Al cabo de los días, la vuelta al hotel se convirtió en un triunfo. Iba al trabajo para dejar atrás la soledad del hotel, y volvía al hotel para librarme de las murmuraciones del trabajo. En realidad, vivía los momentos más tranquilos en el camino, en los veinte kilómetros que distaban uno del otro, pensando que, al menos, había logrado pasar inadvertido para la deontología de la prensa, para los *paparazzi*, para los conductores de Boyaca y para la OJD.

Solo una compañera de trabajo, Marcia Vélez, quiso saber algo sobre lo que me estaba ocurriendo. Había oído rumores y le pareció extraño que todos ellos llegaran hasta el mismo punto, como si más allá un precipicio hubiese cortado el laberinto de carreteras secundarias en que se había convertido mi vida. Lo curioso es que, pese a verme todos los días en la oficina, no me lo preguntara directamente, sino por teléfono. Nunca me había llamado, pero era atenta, le gustaba cuidar los detalles, así que no me sorprendió recibir su felicitación, el 26 de noviembre, por lo acontecido dos semanas antes, el 12: mi cuadragésimo primer aniversario. Marcia había visto mi sombra de junípero en la televisión, envarada y sin escapatoria, y había pedido al gerente el número de mi nuevo móvil para llamarme. Sin duda, creyó que esa sombra era más real que la figura escorada y mal vestida que aparecía cada mañana en el despacho, y supuso que con una sombra era más directo hablar por teléfono. Su llamada me sonó a invocación y seguro que mi voz llegó a sus oídos como el susurro del viento en los árboles de otro hemisferio.

—Acabo de poner la televisión —dijo—. Ahora mismo te estoy viendo.

—La película es de una vecina. ¿Se parece realmente a mí? —pregunté, pues la televisión es el único lugar donde los espectros son verosímiles.

—Se parece mucho a ti, pero claro que es solo un parecido —dijo Marcia, y yo fui feliz por su extraña complicidad. Alguien, al menos, se había dado cuenta de que quien aparecía en la foto de *La abuela Polina* no era el de otras que manejaban las revistas, un jovenzuelo despeluzado de esos que siempre están presumiendo de presente, con quince años menos. Yo mismo no me reconocía, ni tenía noticia de la existencia de dos fotografías que de pronto ocuparon las portadas de todo lo impreso. Sin duda, alguien me las había hecho alguna vez, pero me pareció que tras una sesión de lobotomía. Al verlas encontraba mi propia mirada bastante insensible al futuro, al extraño reconocimiento con que la gente observaba aquellos ojos en los quioscos. Siempre había creído que la popularidad era otra cosa, no aquel camino hacia lugares de los que no vas a volver nunca. Marcia Vélez me conocía lo suficiente. Uno puede confiar en eso cuando toma más de dos cafés con una mujer. Ella no había permitido que las evidencias se impusieran, y se lo agradecí. De hecho pensé, mientras hablábamos por teléfono, que las evidencias de quince años atrás son tan aventuradas como un presagio.

—¿Vas a poder soportarlo? —me preguntó.

—He nacido para esto.

—Yo no podría —dijo—. ¿Has visto hoy las revistas?

—No.

—¿Dónde está tu mujer?

—Pasará unos días fuera, con el niño. Ayer se presentaron en su trabajo. Quizá si no se expone demasiado la dejen en paz.

Marcia hizo una pausa y dijo:

—También han venido aquí.

—¿Quiénes?

—Los mismos, supongo. Parecen empleados de la perrera, con la caña y el lazo colgándoles del cinturón. Me los describió el jefe de negociado. Esperaron casi una hora a que aparecieras y se fueron. Por cierto, ¿qué te ha pasado?

—Me sentía mal. Por los síntomas, debo de estar poseído por un *crupier* al que le hacen trampas.

Al colgar vi que las calles estaban lo bastante solitarias para tomar el coche e ir a la gasolinera más cercana a comprar las revistas. Cada noche salían ediciones nuevas, en las que cambiaban las portadas y agrandaban los signos de interrogación. Todas las portadas parecían tintadas con luces de sesión de espiritismo. Todas intentaban saber cosas de alguien que no daba señales de estar en el mundo, a través de espejos empañados y retratos míos cuyo modelo parecía cada vez más lejano. Llegó un momento, al cabo de la primera semana, en que fui incapaz de reconocerme, sumergido en mares cada vez más oscuros y devuelto a playas cada vez más lejanas.

El empleado de la gasolinera que me vendió las revistas tampoco me reconoció, y eso me dio confianza. Todavía tenía margen, un camino borrado entre las flores. Junto a aquellas dos fotos antiguas, por las que habían pasado quince años, se publicaron algunas robadas y una falsa. La falsa amplió mi margen de libertad, porque el tipo que salía en ella no era yo. Mi nombre se veía muy bien en el pie de foto, pero la cara no era mi cara. Aquel desconocido se convirtió en mi ángel de la guarda.

Algunos de los que me conocían pensaron, al ver la foto, que todo lo que me estaba pasando era un gigantesco malentendido. Que aquel otro tipo con gafas y diez años mayor era el verdadero protagonista de los hechos fastuosos y absurdos que me eran atribuidos, el que se había casado con..., el que había escrito tal... y, por tanto, quien merecía que le pisaran los talones desde la sala de neonatos hasta el borde de la sepultura. Para los que nunca me habían visto, aquella foto fue un faro que los desvió por otros derroteros. Solo los mejores fisonomistas me reconocían en la calle, algunos incluso me identificaban después de quince años, capaces de rastrear las huellas del tiempo y despojar mi rostro de todas ellas como si, en efecto, hubiera en él algo inmutable. Ante eso, solo encontré una respuesta alocada e involuntaria: huir. Muchas rejas habían roturado mi vida, muchas lluvias la habían azotado, pero algunos, en la calle, me identificaban como si la cara que veían en las revistas fuera la del día anterior.

Iba a comprar las revistas dispuesto a todo, convencido de que nada de lo que hallase en ellas sería creíble, ni para mí ni para nadie. En la foto que encontré la noche del 26, después de hablar con Marcia Vélez, únicamente yo podía reconocerme. ¿De dónde ha salido esto? —me pregunté, atónito. Un niño de siete años, mirando fijamente a la cámara, embutido en unos leotardos, de pie junto al toro de plástico que me había regalado mi padre y del que no me separé hasta la única mudanza domiciliaria de mi niñez, a los diez años, aparecía en la portada de una de ellas. Había visto por última vez esa instantánea treinta años atrás, sacada de la caja de puros donde mi madre guardaba sus escasas fotografías, pues nunca había tenido tiempo para ordenarlas en un álbum. Los álbumes eran demasiado modernos y estaban dispuestos para recuerdos que podían enseñarse, en tanto que la caja de puros pertenecía a la memoria subterránea de la familia, como las galletas Mayuca, como el Tulicrem, como los soldados del Montaplex y la manteca de tres colores que mi abuela me untaba en rebanadas grandes como tablas de plancha y yo comía sin apartar los ojos de los tebeos del Corsario de Hierro. Como una avalancha, aquel turbión de memoria, o de nostalgia, se me vino encima, pero era evidente que la foto no había salido de la caja de puros de mi madre, y menos para ir a parar a las páginas de una revista con una tirada de cien mil ejemplares. El camino, que en aquellos momentos me pareció tortuoso como el del soldadito de plomo, seguramente era más simple. Había buscado aquella foto durante decenios, y al final la encontraba dando vueltas en el sinfín de los quioscos, entre otra revista que me calumniaba y la última entrega de *Dónde está Wally.*

Estuve tentado de telefonear a la revista y preguntar cómo habían conseguido la foto, pero sabía que esos hallazgos no pertenecen a quienes los fabrican, sino a quienes los consumen. Tanto si habían pagado la foto como si la habían encontrado en el cepillo del anonimato, la gente la donaba como un artista puro y perfeccionista, sin nada a cambio. Llamar y presentarme como quien era, Alonso Guerrero, con todas las sílabas de mi nombre —por más que mi nombre no hubiera dicho nada de mí hasta salir en los periódicos— era arriesgarme a que no me creyeran, o me diesen con la puerta en las narices. Jugué a ponerme en el lugar de aquellos periodistas, enfangados en la ficción hasta la verija, que me perseguirían si sonara el teléfono y les dijese que el único que poblaba la otra parte de sus desvelos llamaba no para decirles lo que el público quería saber, sino para discutir con ellos las causas de la extraña curiosidad de ese público. En la situación había, desde luego, conjeturas inaceptables. Tantas que finalmente no descolgué el teléfono. Me conformé con mirarlo, entre las tres y las tres y media de la tarde, sobre aquella mesilla de hotel. Soy un poeta —pensé—, un sin hogar que ambiciona la perfección. Resulto grotesco como hombre perseguido por las cámaras.

Los periodistas me buscaban en suelos de teca baldeada al atardecer. Sus prejuicios los llevaban por esos caminos. En cualquier caso, preferían que estuviera en todas partes a que no estuviese en ninguna. La ubicuidad les parecía más accesible que el desvanecimiento. Los que hacían cábalas sobre mi paradero hubieran preferido que me escondiese en el yate de algún amigo famoso, o de algún famoso a secas. Las posibilidades eran demasiado atractivas para cambiarlas por perseguir a un muerto de hambre. De hecho, algunos nombres surgieron en el calor de los debates televisados, aunque tales debates terminaban admitiendo que yo no poseía esa mirada tranquila e inconclusa de la gente que navega en veleros. Los míos eran ojos de expatriado. No se concebía mi desaparición. Vigilaron las costas, los aeropuertos eran recorridos por gente pertrechada. Se montó guardia en los cambios de agujas. Los portavoces de estas conjeturas miraban a lo grande, hasta que alguien cayó en la cuenta de que la familia es el único refugio de los que entran en la fama por imperativo, o por azar.

Llamé a mis padres pero, como supe después, habían determinado no descolgar el teléfono. Los periódicos, las revistas más desenfocadas y las cadenas de televisión los asediaban para saber, en principio, si eran mis padres, y después si, en efecto, yo era su hijo, de modo que mi padre me contó que había estado a punto de clavar el libro de familia en las planchas de la puerta del hogar. Si no lo hizo fue porque aquel noviembre no paró de llover. La calle, convertida en torrentera, bajó tres días seguidos como un gallinero apedreado, yendo a romper contra el frontispicio de la plaza de abastos. Mi padre me refirió que tuvo que aguardar a lo más fragoroso de una de aquellas tormentas para sacar la basura que se acumulaba en el zaguán. No había podido hacerlo la noche antes porque los periodistas se pasaron setenta y dos horas enfocando con las cámaras la fachada de la casa familiar. Los vecinos no se atrevían a pisar la calle, ni tenían necesidad, ya que podían verla cómodamente por televisión, con los zancajos metidos en el brasero. A algunos les hizo gracia adivinar sus propias cabezas entre los geranios de los balcones, como máscaras de teatro, y hubo quienes, por diversión, bajaban el hatillo del pan hasta la altura en que las cámaras lo captaban.

Mi padre se equivocó al suponer que la lluvia implicaba una tregua. Cuando más arreciaba, descorrió el picaporte y salió a la calle descuidado, con las bolsas de basura y el paraguas.

—Ahí está —me contó que gritó una becaria de veinte años. Entonces oyó a sus espaldas una pregunta:

—¿Ha hablado con su hijo?

—Cada vez llama menos —contestó mi padre, sorprendido por un trueno que acaparó el cielo. No se detuvo a girar la cabeza. Declarar que yo apenas le llamaba fue como darle vértebras fósiles a los paleontólogos. Ninguno de ellos sabe qué animal monstruoso saldrá de ellas.

Marcia Vélez se entregaba a menudo a experimentos sociológicos. Me dijo que mi padre era un pequeño canon, que tanto él como yo confiábamos en todo el mundo sin pensar en maldades. Los últimos y más puros optimistas, siempre a salvo bajo los auspicios del azar.

Alguien, al día siguiente, había aparecido en televisión con todos los interrogantes: *Padre e hijo no se hablan: ¿Por qué...?*

Mi padre no aguardó más preguntas. Entró en casa, corrió el picaporte, volvió a dejar las bolsas detrás de la puerta y miró por los intersticios de la persiana. En mitad de la tormenta, una cámara con trípode, resguardada bajo una sombrilla de playa que sostenía un hombre con impermeable, continuaba apuntando a la fachada de la casa, mientras la reportera hablaba de espaldas. Mi padre conectó la televisión, que había apagado por cansancio dos días antes, y solo entonces reparó en cuánto llovía. El Ayuntamiento no arreglaba la calle desde hacía más de veinte años y las alcantarillas eran incapaces de tragar aquel torrente barrido con cepillos de púas. Sin embargo, no profirió ningún comentario contra el alcalde. Nunca oí palabras malsonantes en boca de mi padre. Nunca repetía lugares comunes. Hubiera tenido que descomponer, a sus setenta, aquella sonrisa núbil que más tarde reconocí en las fotografías de Kafka. Una sonrisa llena de bondad y tan exenta de ironía que con el paso de los años, lejana ya mi infancia, solo pude atribuir a personajes de libros y tiempos en que el absoluto podía apreciarse a simple vista. Mi padre era un hombre sin cultura cuya bandera encontré en todas las colinas que el conocimiento me empujaba a conquistar. El azar nunca lo decepcionaba, todo lo más lo sorprendía. Esa era su pureza espeluznante y por eso supe, cuando comenzó aquella cacería, que él estaba muy por encima de la extrañeza que le inspiraban aquellas cámaras.

Mi madre era más permeable a los acontecimientos. Creía en ellos, los interrogaba como si fueran a responder. Miraba la televisión como una radiografía del médico, hasta que se percató de que no era su hijo quien salía en ella, de que lo que decían no traspasaba la criba de lo que sabía acerca de mí. Mi madre no me reconocía en las fugaces y laberínticas imágenes de televisión. Empezaban a no agradarle aquellos programas de entresuelo atestados de gente que miraba los posos del café. Pensé que, para ella, lo que estaba ocurriendo no tenía parangón, pero lo primero que me preguntó por teléfono cuando le dije que me alojaba en un hotel fue si necesitaba dinero. Le expliqué que gastaba menos que antes, que el ostracismo es barato, porque no necesita aparentar. El proscrito no tiene que demostrar que sigue entre sus contemporáneos.

—No hagas caso de lo que dicen —me aconsejó, con tanta convicción que me negué a reconvenirla para que ella hiciese lo mismo.

—¿Y qué dicen? —pregunté.

—Eso es lo raro. No sé de quién hablan.

Me tranquilizó que al menos mi madre fuera a la raíz del asunto.

—Tampoco yo.

—Lo que me escandaliza es lo que dicen de mí —declaró.

—¿A qué te refieres?

—A que tengo tu vida metida en el costurero, papeles, fotos y todo eso. Estaría bien, porque ni tú mismo sabes qué has vivido y qué has escrito, ¿o me equivoco? Además, están obsesionados con saber si nos llamas por teléfono.

—¿Es lo único que quieren? —le pregunté, pero contestó mi padre, agazapado en el otro teléfono:

—Hace tres días un hombre y una mujer llamaron a la puerta. Creí que eran pedigüeños. Se plantaron en el zaguán y me dijeron que eran periodistas. Venían de Sevilla, para saber cosas de ti. Después resultó que solo querían que les dijera quién eras. Me mostraron dos fotos, en una aparecías tú, la otra era de un señor con gafas a quien no he visto en mi vida. ¿Quién de estos dos es su hijo?, preguntó el hombre.

Oí a mi madre suspirar por el teléfono, con la televisión sonando como desde el fondo de una sala llena de ancianos jugando a las cartas.

—Esa gente está loca —concluyó mi padre—. Les dije que se volvieran por donde habían venido. Le comprendemos, pero enséñenos al menos alguna foto suya, dijeron. Pero si ya tienen una, les dije. Entonces ella, la periodista, como quien no quiere la cosa, contestó que eso era lo malo, que tenían dos.

—¿Y qué hiciste? —le pregunté.

—Nada, pero esa gente te mira como si tuvieras siempre que hacer lo que te dicen.

Supe a qué mirada ávida y triste se refería. Ojos de jugadores de ruleta. Yo también me había cruzado con aquellos ojos de pájaro ahogado en aceite, ojos que cumplen la misma función que carteles clavados para equivocar los caminos. Sin embargo, los espectadores no eran escépticos ante lo que veían, sino adictos. Supuse que la foto que le habían mostrado era la de aquel hombre con gafas y una sonrisa que yo había perdido cuando deje de leer a los hermanos Grimm. A aquellas alturas de la historia todavía me preguntaba quién era ese desconocido, y cómo se habría visto envuelto en tal confusión. Tenía más preguntas que formularle a aquel tipo que a los que me perseguían. ¿Qué medidas había tomado él para aislarse de quienes le reconocían por la calle? Pensé entonces que quizá su habilidad fuese mayor que la mía, más fría y depurada.

Al octavo día cambié de hotel. Tomé habitación en una pensión del centro de Madrid, en la calle de Fuencarral. Los dos primeros días en el nuevo alojamiento discurrieron sin sobresaltos, aunque advertí, a partir del tercero, que las limpiadoras y los camareros empezaban a cruzarse miradas de partisanos. ¿Me han reconocido? Si es así, pensé, no puedo quedarme. En efecto, al cuarto día de estar alojado allí me llamó la atención un tipo que se tapaba la cara con un periódico, en el canapé dorado de la entrada. Le asomaba tras la corbata la correa de una cámara fotográfica. Sin pagar la cuenta, me mudé esa noche a un hotelito que había descubierto justo al otro lado de la calle. Me sentí más resguardado y eso me tranquilizó. Elegí aquel otro edificio porque empezaba a sentir verdadera curiosidad. Si aquella gente me cercaba no estaría mal pagarles con la misma moneda. Llamé a mi mujer y ella me dijo que temía que empezara a gustarme el juego.

—No entres en eso. Puedes ser libre sin necesidad de esconderte.

—Soy libre. Desde aquí puedo plantarme en el trabajo en diez minutos —contesté, ajeno al sinsentido que acababa de formular.

Descubrí que me estimulaba pasear a lo largo de los escaparates de las cafeterías como un patito de caseta de tiro. Mi nueva vida continuamente me amenazaba con el presentimiento de ese extraño destino, pero la frugalidad de mi equipaje y un espíritu arrogante y audaz me mantenían las alas en la espalda.

Saqué la maleta del primer alojamiento y me la llevé al segundo justo a tiempo. Esa noche se presentaron en el primero dos individuos más que estuvieron rondando y, supuse, preguntando. Después salieron a apostarse bajo las farolas y allí permanecieron hasta las dos de la madrugada. Yo observaba, desde la habitación del primer piso de la casa de enfrente. Aguardaban mi aparición, pero no aparecí. Perseguido y sin identidad —pues me habían puesto la cara de otro—, gozaba de una libertad sin necesidades, un anonimato perfecto y adolescente.

Hasta había vuelto a fumar. Lo primero que colma al desahuciado es el tabaco. Corrí a medias los tupidos visillos del hotelito, como si existiera el peligro de que aquella gente pudiese atisbar mi brasa tras el cristal de una ventana medio abierta en mitad de Madrid. Al final fumé varios cigarros y me acosté antes de que se fueran.

A la mañana siguiente salí temprano, crucé la calle, entregué la llave y le pedí la cuenta a un recepcionista distinto, con cara de haber dormido bien.

—¿No tiene maletas? —me preguntó.

—Llame a un taxi.

Sabía que no tardaría en llegar porque la parada quedaba a dos manzanas. Me metí en él y pedí al taxista que me llevara hasta Gran Vía y subiese otra vez por la calle de Valverde. Cuando llegué al lugar que acababa de abandonar vi, desde la acera de enfrente, cómo las figuras apostadas durante la noche se reunían e iban en tropel al mostrador de recepción, pero al salir ninguna se dio cuenta de que el tipo al que buscaban estaba apeándose de un taxi en la acera de enfrente. No son tan buenos, pensé jactancioso. Había leído tantas novelas que hasta mi vida me parecía que obedecía a un procedimiento. Las calles eran lo menos seguro. De momento, nada de bajar a la calle, me dije. Esa misma noche reduje el volumen de la televisión y vi que sacaban la fachada de la oficina donde trabajaba habitualmente. Este es el sitio donde trabaja nuestro hombre. Nuestro hombre, eso fue lo que dijeron, o algo parecido, porque lo oí en la duermevela. Me convencí de que no podía volver al trabajo. Hablaría con Marcia. Ella sabrá manejar las cosas con el jefe —pensé—. Que me guarde el puesto un mes, o que me despida.

¿Y ahora qué?

No debí hacerme esa pregunta. Esa pregunta fue el inicio del gran circunloquio que me llevó a donde estoy. Sin trabajo, lejos de la familia, lejos de todo en el lugar en que vivía, no tuve más remedio que hacerme la maldita pregunta: ¿y ahora qué? Es una pregunta que cualquiera se hace varias veces a lo largo de su vida. Una pregunta inocente, aunque también insólita. Una pregunta en la que lo único inquietante es lo que no se sabe; es decir, la respuesta.

El hombre solo es un hombre minimizado. Eso lo dijo Pessoa. Quizá lo pensara mientras subía la Rua Dos Douradores. Pessoa, digo. Él podía ir al trabajo, mirar el Tajo durante horas, frecuentar a sus queridas y a sus libreros. Tuvo una vida donde el azar se lanzaba sobre él cuando se metía en su cuarto y sacaba la cuartilla. Todas sus preguntas eran importantes. El arte es así, lástima que yo hubiese dejado un computador apagado y lleno de palabras en medio de una habitación sombría como una catedral. Una máquina atarantada en una vigilia forzosa, con más entumecimientos que HAL 9000. Las novelas, los cuentos, todo lo que había escrito desde la juventud estaba allí, irrecuperable como la mirada que tenía a los siete años. Eso era lo que en el fondo me impedía convertirme en un proscrito, más que la esposa y el hijo. Ellos estaban a salvo, podía recogerlos en un lugar inexpugnable, pero la obra era como el cuerpo destrozado de Héctor. Jodida literatura. La obra estaba en territorio enemigo.

Al día siguiente fui a unos grandes almacenes. Compré un ordenador portátil y contraté una conexión sin alambres a internet. ¿Qué haría Bowman en mi lugar? Entonces se me ocurrió que podía llamarle. Vivía a tres calles de mi asediado hogar. Se llamaba Enrique Lomas, lo de Bowman le venía de una admiración ininterrumpida, desde la época universitaria, por Kubrick. Sabía más que Kubrick del cine de Kubrick. Pensé inocentemente, como si los destinos de todos no se hubieran torcido, que Bowman nunca le había dado la espalda a un amigo. Eso no pasaba en el cine, por tanto Bowman no lo haría. Era el más adecuado para una misión de tanteo, así que lo llamé por teléfono esa misma tarde de comienzos de diciembre. Te doy las llaves de mi casa. Entras, con Laura, para no infundir sospechas. Como si fuerais una pareja de la vecindad. Laura era su mujer. Yo se la presenté, e inmediatamente se exiliaron juntos en el cineclub de Santa Isabel, para ver tres pases seguidos de *Barry Lyndon*. Cuando le pregunté por ella, por teléfono, me dijo que estaban a punto de separarse. Un divorcio exprés, de esos que cuestan cuatrocientos euros sin tener que ver a quien se los pagas. Estaban tan ansiosos de empezar nuevas vidas, a los cuarenta años, que hubieran pagado cuatrocientos cada uno. Así es la vida, me dijo. Después pidió una narración cronológica de todo lo que tenía que hacer. Entras —proseguí—, enciendes el ordenador, con la contraseña que te voy a dar. Y le comuniqué la contraseña. ¿Cómo? —me preguntó. Se la repetí. Sabía que era inesperada, incomprensible, como los mensajes de algunos contestadores. *Viva la República*. Le dije que esa era la única contraseña que había empleado en toda mi vida. Cuando necesitaba alguna siempre colocaba aquellas tres palabras seguidas. Por ese orden.

—Ya, la fiebre de las barricadas —dijo—. ¿Algo más?

—Sí, otra cosa —añadí—: entre las páginas de *Bajo la mirada de Occidente* tengo unas fotos. Tráemelas.

No necesitó que le masticara los propósitos. Era un filólogo que trabajaba en las antípodas de la filología, igual que yo, pero la filología es masona, está llena de consignas que no se descifran sin un tercer ojo. Solo dijo:

—¿Puedo quedarme el libro?

—Claro —otorgué. Era una compensación excesiva por lo que iba a hacer, pero sabía que cuando lo viera iba a llevárselo de todas formas. Bowman padecía la nostalgia más vehemente que existe: la que un lector sin lugar en el mundo siente por los libros descatalogados, y yo sabía que ambos éramos indigentes de una cultura que no se avergonzaba de descatalogar *Bajo la mirada de Occidente*.

Nos vimos dos horas después, en una cafetería del Paseo de la Reina Cristina, y le di las llaves. Hacía al menos un año que no nos cruzábamos por la calle.

—¿Es verdad todo eso que dicen de ti? —me preguntó.

—¿Qué dicen?

—Que no te hablas con tu padre...

—¿Sigue comprando tu mujer esas revistas para las que no hace falta el Diccionario de Autoridades?

—Ya la conoces, la desvirgaste tú —afirmó—. Ahora su pasatiempo es hacer cábalas... Sabe dónde te escondes. Dibuja tus itinerarios en el callejero como si fueras Frodo.

—¿Y dónde cree que me escondo, si puede saberse? —pregunté, realmente picado de curiosidad. Si ella lo sabía, puede que también lo supieran las 300 revistas dedicadas en España a impedir el anonimato de 50 personas.

—¿Ahora? Dice que en algún hotelucho de mala muerte, lo más céntrico posible. Según ella, has perdido la gracia de los alrededores de tu hogar, pero tampoco tienes esos yates y esos amigos que te atribuyen en la televisión. Me ha pedido que te pregunte si sigues escribiendo sonetos.

—No —le dije—. Hice con la poesía lo mismo que ella conmigo. Una justa compensación. Ahora solo cuadro balances.

—¿Qué más quieres que haga?

—Lo de las fotos —repetí—. Y tienes que mandarme por correo electrónico mis obras completas. Todas están en la carpeta de Textos.

—¿No exageras? No es el destierro.

—Tú hazlo. La mejor forma de que no se pierdan es que no estén en ninguna parte. Lo envías todo a este correo —dije, apuntándolo en una servilleta de la cafetería— y después lo borras todo.

—¿Tus memorias? Ahora valen más que tú.

—Si fueran mis memorias no estarías aquí.

Bowman me envidiaba desde la universidad. Conservaba en los ojos el brillo que les había copiado a Kirk Douglas y a

Burt Lancaster en *Duelo de titanes*. Resplandecía con la misma determinación que cuando, hacía casi veinte años, saltó de un balcón a otro, a siete pisos de altura, para robarle el Bompiani a un compañero que sacaba mejores notas que él. Nadie se merece el Bompiani, era su frase recurrente.

—Te gustaría estar en mi lugar, ¿verdad? —le pregunté—. Ser un Allen Ginsberg.

—No presumas tanto. ¿Y ahora qué?

Me estaba habituando a convivir con esa pregunta. Ese ahora no era inmediato, suponía algo previo y angustioso, una especie de condición, pues antes había que escapar, ponerse a salvo, recuperar una vida que me había pertenecido y que estaba postergando a pasos agigantados. La situación había sido tan inusual, desde la foto de aquel desconocido, que no podía seguir viviendo sin más.

—Si fuera inglés, tendría un club donde refugiarme.

—Los ingleses ya no van a sus clubes —aclaró Bowman, que siempre tenía muy reciente todo lo que el cine le había obligado a aprender fuera de la facultad—. Se acabaron los tiempos de *sir* Arthur Conan Doyle.

Algunos días más tarde supe cómo le fue en mi casa. No por su boca. He ahí lo extraño, pero la manera más fiable de que las cosas no salgan como uno desea es encargarlas a alguien de suma confianza. Le llamé al comprobar que mis novelas, mis cuentos, mis artículos de crítica y comentarios habían llegado al correo que le facilité. No había sido él quien los envió, sino Laura. Convenció a Bowman y ocupó su lugar. Curiosidad morbosa, por ver si mi casa estaba tan vigilada como le conté a su marido. Bowman se quedó arrellanado en el diván color butano que conservaba de uno de los pisos de estudiantes que había tenido y por el que había pasado la mayoría de sus conquistas, viendo en la televisión un programa en el que varios ignorantes en casi todo hablaban sobre lo que más ignoraban, sobre mí.

—¿Por qué no llamas? —fue la solución que me propuso por teléfono—. A esos sitios todo el mundo llama.

—¿Para defenderme?

—No, por Dios. Nadie puede defenderse. Esos programas son lo más parecido a las duchas de Auschwitz.

Pensé que quizá aún conservara el libro de Conrad, pero Laura había recibido el encargo de sacarlo de mi casa y entregárselo a él. Con los archivos adjuntos del correo, Laura me enviaba una nota que rezaba: Me he quedado un pequeño recuerdo. Además, he leído lo que escribes. Nunca vas a ser un superventas. Suéltate, echa tú la carnaza, en lugar de servir de cebo. ¿Ves la tele? Si quieres profundidad, mejor no salgas de casa.

Yo apenas salía. Me habían hecho salir y, una vez fuera, habían tapiado la puerta, igual que la biblioteca de don Quijote. El hogar de uno es el sitio donde puede apilar libros. ¿Cuánto llevaba fuera? En aquel momento pensé que la civilización era incivil. Estaba haciendo de mí una especie de mártir irrisorio. El mundo necesitaba más poesía existencial, más llanto, más diarios íntimos contra el azar que me perseguía y que, por tanto, no era azar, pero había algo en la nota de Laura que se limitaba a preparar la cita del día siguiente, para entregarme lo que había sacado de mi despacho.

La esperé en un café de Antón Martín. Traía las fotos en una carpeta transparente. Al verla entrar en el café, temí que viniera con ganas de revivir el pasado, pero cuando una mujer con la que has mantenido una relación te dice que nunca vas a ser un superventas es que nunca se le va a pasar por la cabeza recordar viejos tiempos.

—¿Es esto lo que todos buscan? —dijo, poniendo sobre el mostrador las fotos—. Lo importante es cada vez más insulso.

—¿Es verdad que os separáis?

—¿Ya te lo ha dicho? De todas formas, eso no te abre ninguna puerta. Tu Bowman ha asumido por fin que no se casó con Anita Ekberg.

—Le llamé a él.

—¿Hubieras preferido que fuera él quien te hiciese los recados? ¿Porque te cuenta confidencias?

—¿Te sigue queriendo? Es evidente que tú a él no. Cuando una mujer de cuarenta se separa es porque está todo dicho... ¿Me equivoco?

—Siempre te equivocas. Es natural que me veas así, pero cuando las cuarentonas nos separamos es porque lo poco interesante que nos queda en la vida es mucho mejor que lo que hemos desperdiciado. Nos separamos porque no hay nada dicho, porque nunca se dice nada. Sin embargo, no le he pedido venir en su lugar para verte a ti. Tú eres la pizca más pequeña de todo esto. Vamos a dejar de comportarnos como si todavía nos liáramos los porros uno al otro. He venido para ver lo que tú ves, por simple curiosidad. ¿Cuánto llevas fuera de casa?

Había una respuesta a esa pregunta, pero dudé. ¿Veinte días? Falta de certidumbre en la percepción del tiempo. Es lo que les ocurre a los que no se creen su vida. Uno va perdiendo el tono subjetivo, vital, de esa percepción. Comer tres veces al día y dejar que sea un reloj lo que te despierta por la mañana, en lugar de una mujer de la que aún no has escuchado mil frases, embota lo que sabes de la rapidez con que vives.

Sabía que mi mujer iba a acusarme de utilizar a Laura para recuperar los viejos tiempos de libertad. Mi especialidad, según ella, no era el dorado anonimato de cuando nadie me conocía, sino de cuando yo no me conocía a mí mismo. Puedes ocultar cosas, pero no lo importante. Es lo que siempre me dice, con razón. Son las mujeres las que saben lo importante. Antes de irse con el niño me recordó que temía más mi nueva vida de Jim West que a los periodistas que me perseguían. Era ella la que tenía una visión propia, una litografía imborrable de los indicios que la vida adelanta antes de cambiarnos.

Yo no los vi. Es lo malo de acostumbrarse a un modelo. Si llamas a tu padre y te pregunta si sigues escribiendo, si eres lo que has sido siempre, su hijo, si conservas algo de ese pequeño egoísmo infantil, de los gestos que él mismo observaba en ti cuando era joven, tienes que creer que, en efecto, los conservas. Pero es lo único que conservas, la pura ceremonia de los gestos. Mantienes el tiempo que día tras día dedicas a escribir, pero nada más. Guardas el molde, igual que tu padre cuando te pregunta lo que ya sabe. ¿Eres tú, hijo? ¿Escribes, hijo? Es lo mismo. Es la única manera de persistir: ser un modelo, sacrificar la penetración con que miras las largas distancias. Si has dejado atrás la juventud, te empeñas en repetir los patrones, oír las mismas canciones y recuperar las mismas ediciones de los libros que prestaste en el pasado y no te han devuelto.

Las fotos puestas sobre la barra me trajeron a la vida presente, una peripecia de escapado sin la fuerza con que escribía veinte años atrás. Laura tenía razón: la experiencia no sirve para nada. Un mecanismo que nunca está engrasado, creo que pensé, pero no se lo dije porque Laura es de esas mujeres que te calan de inmediato. Saben cuándo piensas y cuándo repites lo que has leído, aunque ella solo haya ojeado los libros de cine que Bowman le endilgaba en los albores de su relación. Cuando nunca piensas y solo repites, te lo dice igualmente. Delante de las fotos, no estuve seguro de la procedencia de ese pensamiento sobre la experiencia. Ignoraba si era mío, incluso si podía utilizar esa receta como propia.

—¿Vas a darme cobijo? —le pregunté.

—¿Quieres otra cárcel? Que te echen a patadas de lo establecido supongo que tendrá sus compensaciones, pero si alguna vez necesitas mi casa no tienes más que llamar. Esta vez no des mil golpes en la puerta a las tres de la mañana.

—Como antes.

—Sí, como antaño.

Yo lo había olvidado todo, excepto aquellos porrazos en la puerta dirigidos a un fantasma del tercer piso que velaba junto al timbre, en espera de una reconciliación. Era uno de mis modos de sobrevivir, el olvido, aunque ella lo considerara una forma de comodidad. Laura no olvidaba. Para ella el pasado era una tela puesta en el bastidor, o en el caballete, a la que siempre se podía dar una puntada o un brochazo. Eso perturbaba a todos los que la rodeaban, pero mantenía ordenado y tintineante su manojo de llaves. Así que ese antaño era ficticio. Laura no dejaba que lo que atravesaba por su vida se alejara demasiado en el tiempo. No era como yo. Su vida no se aplastaba contra el suelo por un exceso de gravedad. No se comprimía repetida en los ecos de las circunstancias. Laura era capaz de engordar los planos que los demás veíamos en dos dimensiones, y alumbrarlos con las soluciones de todas aquellas oscuras pruebas de inteligencia espacial a que nos sometían en el colegio. Su vida obedecía a leyes que solo ella formulaba y entendía, pero al menos teníamos el consuelo de que también se le escapaba entre los dedos, igual que a los demás.

Ahora es distinto, pensé.

—Has cambiado —dijo. Es lo que más sorprende a las mujeres, lo que mantiene tensas las frases que viven madurando para que parezcan improvisadas en un reencuentro casual.

—Pura indolencia.

—No has picado el anzuelo.

—¿El de esa propuesta de debate sobre lo que escribo? Conozco tus métodos, y mis límites.

—¿Adónde vas a ir con todo esto? —preguntó, señalando la carpeta que ella misma había puesto en la mesa.

—Donde todo el mundo pueda reconocerme. Es lo más seguro. Como la carta robada.

—O sea, un hotel.

—Algún sitio encontraré.

—Prueba aquí —dijo, tendiéndome una tarjeta con el nombre de un hostal en los alrededores de la Cava Baja—. Una de las recepcionistas es amiga mía de muchos años. La llamaré. Te avisará si ve algo sospechoso.

Tomé la tarjeta, por una urgencia.

—¿Vigilaban mi casa?

—Solo dos, metidos en un coche. Con el tiempo, se irán. Deberías darles lo que quieren, y punto.

—No puedo.

—¿Por qué?

—Porque es mío.

—Había olvidado lo más importante: el tema es tuyo, y quieren quitártelo.

—Visto así, parece que no soy Pinocho, sino Gepetto.

—Ni tú mismo lo sabes.

—¿Cuál es ese recuerdo con que te has quedado?

—Una foto nuestra. Espero que no te importe. Ni a tu mujer.

Sabía a qué foto se refería. La había escondido, precisamente, entre las páginas de *Bajo la mirada de Occidente*. Casi todo lo que podía desaparecer entre dos pliegos de papel había ido a parar, con el paso de los años, a ese libro. Un lugar común, diríamos. No había olvidado que la foto existía, pero sí qué era lo que el libro contenía. Bowman se habría pasmado de la belleza de su mujer veinte años atrás. Bowman sabía que su mujer había tenido veinte años, pero no lo recordaba. Laura aparecía desnuda en la foto, como expuesta a todos los resoles de un lago al atardecer.

—¿Qué vas a hacer con ella?

—Cualquier cosa, menos conservarla.

—La vas a conservar —aseguré.

—Sí, la enmarcaré y la colgaré en la pared. Cuando me vaya quiero dejársela a Enrique, para que sepa lo que pierde.

—No va a soportarlo. Te pareces a Anita Ekberg.

—¿Qué vas a hacer tú con estas otras? —me preguntó, casi preocupada.

—Impedir que cuenten mi vida. Mi vida la cuento yo.

Yo sabía que no había tocado el té porque estaba dejando de fumar. Bowman me lo había dicho. Bowman lo contaba todo. Laura me miró y adivinó lo que estaba pensando. Centró la taza en el platito y extrajo su foto de veinte años atrás de la pequeña carpeta de gomas que traía aparte. Pensé que vigilaba mi asombro. No sé cómo, pero dedujo que aquella foto iba a sorprenderme tanto como a ella. Hacía tanto tiempo que no la veía que por un momento me sobrecogió su desnudez. Había sido yo quien tomó la instantánea, aquel atardecer de verano, mientras ella dormía. Recordé haber buscado el encuadre durante mucho rato y, al despertar, había puesto el automático y me había fotografiado junto a ella, tan desnudo como ella. Pese a proceder con la frialdad de un artista, me pareció que después de haber cruzado el Sistema Solar, la luz de la persiana rayaba su piel como si supiera que no iba a tener mejor ocasión para pertenecer a este mundo. Por aquel entonces estaba enamorado de su bronceado, así que hice la foto sin flash. Las líneas bordeaban los hombros y caían a la parte interna de los muslos como si la confundieran con un tragaluz. Sin embargo, no fue aquel cuerpo entre el sueño y la vigilia lo que estimuló mi memoria, sino los pequeños objetos que el azar había puesto en la fotografía: los cuadros sobre el cabecero, el pequeño reloj abandonado en la mesilla y algunos de los libros que por entonces me obsesionaban. Promesas incumplidas que el amor utiliza para rodearse de eternidad.

—Ahora que eres libre —dijo Laura—: ¿Con cuántas examantes vas a hacerte el encontradizo?

—Con ninguna tan libre como tú.

—Yo he perdido mi magnetismo. Quizá…

—Se me acabaría mi libertad —dije, convencido de estar cruzando una línea establecida por ella, no por mí, aunque atañese a mi vida—. ¿Aún tiene encanto para ti verme en una jaula del tamaño de Madrid?

—Tu libertad no está segura en tus manos.

—¿Y no quieres arriesgarte? —dije—. Cinco semanas en globo.

—¿Huyendo de los periodistas? No tienes que parecerte a Bowman —se contempló en la foto que acababa de recuperar y la puso bocarriba sobre la barra, a la vista del camarero—. Dime, al menos, que tu esposa no sabía de la existencia de esta foto…

Volví al hotel en metro. Muchos de los que me buscaban jamás bajan al metro, ni conciben que se muevan en metro aquellos sobre los que escriben. Algunos fragmentos de biografías se han extraviado en esos viajes bajo tierra parecidos a ejercicios de magia, pero las sombras chinescas de la televisión prefieren hablar de gente que frecuenta restaurantes, o cruzan el Atlántico en limusina. No me apeé en Tribunal. Ansiaba esos recorridos de los que la memoria no pide informes. Desde Alonso Martínez, me dirigí andando hacia el mercado de Fuencarral, a lo largo de la calle de San Mateo. Las cristaleras al atardecer me devolvían una antigua imagen de mí mismo. Impresiones así surgen destinadas al desaliento; sin embargo, había algo sólido en todo lo que me llegaba por los sentidos. Lo supe al pensar en lo poco que había llamado a mi esposa durante los últimos veinte días. La echaba de menos, aunque volviera a dormir bien, aunque me despertase en hoteles de viajantes de comercio. Llamé a mi jefe de negociado y le dije dónde estaba. Un enfermo sin posibilidad de aportar justificantes médicos, en eso me habían convertido. Un empleado que se separa, por su propio bien, de la faena sin gloria que le aguarda frente a una pantalla sin esperanzas y al que, por el buen nombre de la empresa, no pueden despedir. Marcia también había comprendido que cuando se huye, cuando uno vive con la raya de sombra de las esquinas entre ojo y ojo tiene que establecer una relación sin corsés con la verdad. Tendido en la cama de aquel hostal, con el teléfono en la mano, veía muchos caminos erróneos. Había cruzado con naturalidad una línea que me ahorraba palabras, solo eso.

Al día siguiente encontré una mañana especialmente luminosa. Me la pasé en la calle, usando artes de gran postergador, recorriendo cafeterías de franquicia y librerías de viejo. En un mundo libre pensé, por primera vez, que no podía ir a cara descubierta, así que opté por unas gafas de sol y un sombrero que tenía en la maleta, pero al final lo dejé encima de la cama. Nadie que no quisiera ser reconocido llevaría por Madrid un sombrero de apicultor marciano.

En las televisiones de algunos bares aparecían los mismos bustos parlantes de los programas matinales. Vi mi foto de los siete años y, junto a ella, la foto del tipo al que no conocía, como si ambas fueran dos personas buscándose entre los árboles de un bosque profundo y oscuro.

Esa noche traté de tomar la iniciativa, e hice algo fatuo y desesperado. Encendí el ordenador y entré en uno de esos foros donde cada participante sabe qué le va a pasar, con la antelación suficiente, a individuos que no conoce. Entré urgido por el desorden de no manejar las riendas de mi destino y, quizá, de estar perdiendo las de mi presente. Había oído muchas extravagancias sobre la igualdad amorfa de esos foros de conversación, pero era la primera vez que accedía como conversador, así que fue una suerte de bautismo de fuego. Me sentía solo y no tenía ganas de hablar por teléfono con nadie, y menos con aquellos que mi vida dejaba atrás sin que yo me planteara las preguntas que rondan a cualquier alma desposeída. Hablar con gente extraña no exige nada. No tienes que ser tú mismo. De hecho, descubrí que esa es la única condición para participar. Hasta que formé parte de uno de esos llamados intercambios, me había parecido que la palabra dicha esconde más que la escrita. Escribir es más franco. Escribir supone un trato más estrecho con la palabra.

Elegí un foro en que hablaban de mí, con informaciones de primera mano, y me presenté:

«¿Quiénes sois todos vosotros?»

Me pareció que era una buena puesta en escena, porque había estado leyendo cosas que esa gente decía sobre mí mismo, sobre el yo desusado que salía en las revistas, y no estaba de acuerdo con algunos de los rasgos inapelables que me imputaban.

No fue una buena apertura. Cuando irrumpí estaban despedazando con cuchillos de matancero un libro mío del que yo tenía la misma opinión, pero que había dado al público con toda sinceridad. Hay comportamientos que apenas puedo soportar y en aquel instante me sorprendió lo vanamente inhumano que es meter al hámster en el microondas. El hámster era yo, tan sensible a las palabras que a veces doy por sentado que los demás piensan y viven igual, con un rebujón de papel atrancado en la garganta. A mí no es que me impida hablar, pero a menudo es un obstáculo insalvable para lo que debo escribir. Es, de hecho, lo que tengo que escribir y no sale: una especie de verdad demasiado grande para un pusilánime. Sin embargo, que la destacen otros pusilánimes me saca de quicio.

De pronto, alguien apodado Capitán Cotilla me espetó: «No eres bienvenido». «Pues te jodes», contesté, «porque soy el único que puede hablar con conocimiento de causa».

«¿Conoces al maromo?», preguntó uno que se llamaba a sí mismo Flamingo Rosa. Después descubrí que se trataba de una mujer.

«Claro que lo conozco», escribí, intentando convencerme de que no había nadie allí fuera. Todos eran botellas en una alacena, curiosos sin rostro, como los que miran las estrellas a través de telescopios. ¿Por qué no revelar quién soy y declarar la guerra de inmediato? Fue una osadía que me cruzó la mente. Sorprenderles pero, ¿era eso una ventaja? ¿Una ventaja ante qué? No, el único privilegio era el embozo. No saber quiénes son los demás y, quizá, llegar a no saber quién eres: eso es lo único que se comparte, que salva allí a todo el mundo, así que al final maticé: «Aunque hace tiempo que no lo veo».

«¿Por qué no se habla con su padre?», preguntó Catwoman.

«No se habla con él desde que terminó la carrera», contesté, «porque se tienen todo dicho. Lo saben todo el uno del otro. No tiene que pedirle dinero, ni discutir con él sobre Dostoievski delante de un buen carajillo. Yo tampoco me hablo con los míos por ese mismo motivo».

«Pues vaya respuesta. ¿Quién eres, A? ¿Es la primera vez que entras? ¿Alguien lo ha visto por aquí antes?», preguntó Flamingo Rosa, como si yo no estuviese allí. La gente de esos foros actúa así: pregunta a todos, excepto a quien puede contestar.

«¿Y no os parece muy extraño que sepa todo de su padre?», dijo Catwoman. «Ese tipo es muy raro. ¿Alguien de por aquí lo sabe todo de su padre? Además, ¿es eso motivo para dejar de hablarle? A mí me parece que hay algo más».

«¿Habéis visto las orejotas que tenía de niño?», terció Pimpinela. «A mí me pareció verlo ayer. Es más, estoy segura de que era él».

«¿Dónde?», preguntó Catwoman.

«En una cafetería de Antón Martín», dijo Pimpinela. «Es decir, si él es él y no el otro».

«Es evidente que el otro es una cortina de humo que alguien ha creado para despistar», aseguró Flamingo Rosa.

«Él también es una cortina de humo, sea quien sea», afirmó juiciosamente Pimpinela.

«¿Quién es ese otro del que habláis?», preguntó Capitán Cotilla.

«Tú calla, Capitán», dijo Catwoman. «Sabemos por qué estás aquí y, desde luego, no es porque te interese lo mismo que a nosotros. Al fin y al cabo, lo de ese tío es un drama».

«Sí, un dramón de teatro», dijo Capitán Cotilla.

«Tú y Flamingo deberíais quedar de una vez y echar un par de canelos», dijo Catwoman. «Así los demás podríamos ir al meollo del asunto».

«¿Y cuál es el meollo?», pregunté.

«Si yo estuviera en la piel de ese tipo ya me habría puesto a buen recaudo. Ahora ya no es noticia».

«¿Y qué es, entonces?», pregunté.

«Eso ni él lo sabe», aventuró Catwoman. «Como el tío hable, se acabó. La gente prefiere que no diga nada. ¿Os imagináis a Superman opinando sobre los imbéciles de los políticos, o diciendo si prefiere el huevo cocido o pasado por agua? Solo le vale seguir siendo Clark Kent».

«Eso, callado», vaticinó Pimpinela.

«¿Lo sabes por experiencia, Catwoman?», inquirió Flamingo Rosa.

«Conozco su situación. No tiene salida. Solo pasará inadvertido si sigue delante de todo el mundo, en la calle, como un grafiti».

«Oye, Catwoman», dijo Capitán Cotilla, «¿llevas puesto ese traje de charol tan ceñido?»

«Tú dedícate a Flamingo Rosa. No eches por la borda el trabajo de una semana», replicó Catwoman.

«¿Estás insinuando que finjo ser una mujer?», se defendió Flamingo Rosa.

«¿Es verdad lo que has dicho?», preguntó Catwoman. «¿Lo conoces?»

Me lo preguntaba a mí, pero no caí en la cuenta hasta que Pimpinela dijo: «¿Estás ahí, amigo de toda la vida?»

«¿Y qué hacía en esa cafetería de Antón Martín?», terció Flamingo Rosa.

«Estaba hablando con una chica muy mona», escribió Pimpinela.

«Pronto habrá que pagar entrada para verlo», añadió Pinky, a secas.

«¿En el Museo de Cera?»

Esto lo escribió Capitán Cotilla, que empezaba a tomar conciencia de que la Pascua se le estaba yendo, sin que Flamingo Rosa dijera este cuerpo es mío.

«Además», continuó Catwoman, «eso que aventura la gente sobre qué ocurriría si hablase de esto y de aquello me parece una tontería. Daría igual lo que dijese».

«¿Por qué?», volví a preguntar.

«A nadie le interesa».

«A mí sí», replicó Pinky.

«¿Qué te interesa?», escribió Catwoman.

«¿Cómo puede saber todo de su padre, si he leído que se independizó a los dieciocho? Yo llevo treinta y seis años en mi casa y no sé ni qué desayuna el mío».

«Te roba los cereales», intervino Capitán Cotilla.

«Además, ¿no dijeron sus amigos que escribía un diario?», recordó Pinky.

«No era un diario, sino libros, novelas», explicó Catwoman. «Literatura».

«¿Alguien aquí acabó el BUP?», preguntó Capitán Cotilla.

«Pues a mí me encanta esa gente que se cree por encima de los demás», escribió New Barbie, a la que todos saludaron como si se hubiera abierto la puerta y hubiese entrado Truman Capote.

«¿Dónde te habías metido?», preguntó Pinky.

«Con mi madre, en el hospital. Pero no he dejado de seguiros a todos, incluso la noche que murió».

«Las madres siempre se mueren».

«Es ley de vida».

«La mía sigue viva», reveló Pinky.

«También se morirá, te lo aseguro», dijo New Barbie. «Pero no hablemos de cosas tristes. ¿Alguien tiene noticias frescas de ese señor que no debería existir? Creo que me he empapado de todo lo que dicen las revistas, pero nada nuevo».

«Lo más reciente es lo de Pimpinela», aseguró Pinky.

«Oh, sí, lo de esa cita con otra mujer, porque no sería su esposa, evidentemente. Esto me huele a divorcio. ¿Sabes quién es?»

«No», confesó Pimpinela. «Parecía una amiga».

«Hay que averiguarlo. ¿Conseguiste algo más?»

«Al pasar a su lado le oí decir que iba a ver a una ex», dijo Pimpinela.

«Esto se está saliendo de madre», diagnosticó New Barbie. «Cómo compadezco a los *paparazzi*, ajenos a estos últimos movimientos. ¿Quién es el nuevo?»

«A».

Fue Pinky la que me presentó.

«¿Qué haces aquí, A?»

«Soy el marido de Flamingo Rosa», escribí. «He venido a llevármela a casa. Se pasa demasiado tiempo a vuestro alcance, indeseables. La pobre, ni siquiera sabe que su macho, el Capitán Cotilla, es una lesbiana».

«¿Eres tú quien se lo ha dicho, Barbie?», preguntó Capitán Cotilla.

«Sabes que soy una tumba», contestó New Barbie. «Pero lo tienes muy fácil. Búscate otro nombre».

«No he leído lo suficiente», confesó Capitán Cotilla, con una tristeza que casi traspasaba la barricada de sus faltas de ortografía.

«¿Qué te parece Valmont?», propuso New Barbie.

«Me gusta», dijo Valmont.

«Pues para que lo sepas, Valmont», tercié: «Flamingo tiene sesenta y cinco años, aunque todavía está bien de culo, y un chihuahua con el que me da celos».

«¡No eres tú!», estalló Flamingo Rosa. «Mi marido no habla así».

«Esa A me suena», escribió New Barbie. «¿No serás de esos que emplean sus verdaderas iniciales?»

«No sigas por ese camino... El que buscas, el que todos buscáis soy yo», intervino alguien cuyo icono rezaba: *Invitado.*

«¿Y tú quién eres?», preguntó Pinky.

«¿Quién te ha invitado?», siguió Pimpinela.

«Soy el que soy», sentenció el invitado.

«¿Eso lo dice algún escritor?», inquirió Valmont.

«¿No es escritor, no escribe novelas? Tiene que ser él», escribió New Barbie. «Si no, hablaría por sí mismo».

«No eres bienvenido». Valmont repitió su consigna, que sonaba como un gozne.

«Bien, y ahora que estás aquí, ¿qué tienes que decir?», tanteó Catwoman.

«¿Alguien conoce al que confunden conmigo?», preguntó Invitado.

«¿Pero tú eres el verdadero o el falso?», insistió Catwoman. «Odio la impostura».

«¿Qué es la impostura?», terció Valmont.

«¿Tan bien conoces a tu padre?», preguntó Flamingo Rosa.

«¿Vas a volver con tu antigua novia?», dijo Catwoman. «¿Quién es? Porque eso no ha trascendido».

«Ni trascenderá», vaticinó New Barbie.

«¿No lo conocías tú, A?», apuntó Catwoman.

«¿Y qué, si lo conozco?», escribí.

«Necesito hablar con él», dijo Invitado.

«¿Para echarle la culpa de lo que te ha pasado?», le pregunté.

«¿Vas a pedirle que te firme un autógrafo?», se burló Valmont.

Aguardé la respuesta con las piernas cruzadas sobre la cama. Todos, incluido Valmont, callaron durante un buen rato, esperando a que se desenredara la madeja de aquella petición imprevisible. Quizá tengan los pies entumecidos después de haber andado un día entero por Madrid, igual que yo, pensé, pero sin duda ellos habían llegado frente al teclado del ordenador por otros caminos y con otras historias a sus espaldas. Ya tenía datos suficientes para saber que las más interesadas, por distintas razones, eran New Barbie y Catwoman, quizá también Pimpinela, pero a Pimpinela me unía un vínculo personal, pues me había visto hablando con Laura. Intenté recordar quiénes estaban en la cafetería, pero las imágenes de los famosos en la tele proyectaban sombras enormes y opacas sobre aquel momento. La que más me oscurecía la memoria era la fotografía, como arrancada del quicio de una puerta hacia otro mundo, de aquel extraño que ahora quería verme. El tipo de las gafas.

«Para darle las gracias», dijo.

«¿Por qué?», pregunté.

«Experiencia. Nunca me habían perseguido».

Valmont fue el primero que reaccionó:

«Pues menuda experiencia».

Me tomé unos instantes para sopesar. Sopesar, no comprender. Entendía los caminos que le habían llevado a enchufarse al ordenador, en mitad de la noche, en lugar de ver la tele con su familia, para decir eso. Compartía con él pedazos de aquella conmoción y, por tanto, tenía que admitir el procedimiento. ¿Experiencia? Eso no podía compartirlo. Escribí:

«¿Por qué no has secuestrado al presidente de Telefónica? Habrías tenido que huir igual».

«Terminaría en la cárcel. Ahora la saña es la misma, pero soy inocente. Es lo que no soportan, no poder hincarme el diente».

«¿Quién es este tío? ¿Un filósofo?», exclamó Valmont.

Con él se habían equivocado. La prensa no lo perseguía para deshacer el equívoco, sino para mantenerlo. Supuse, desde que vi su foto en los confidenciales de la red, que utilizaban a aquel hombre como entremés, hasta mi famélica aparición. Frente a los periodistas, las palabras de aquel individuo hubieran servido. Bastaba enseñar el carnet de identidad, la tarjeta del supermercado o la del seguro. Después lo hubiesen dejado de lado, así que ya iba comprendiendo la experiencia a que se refería. Un criminal sin crimen, un famoso sin fama. Resultaba toda una curiosa experiencia. Dentro de algunos años se la contaría a los nietos, o la narraría a traición en las comidas de navidad. Aquel individuo vivía tales experiencias porque no quería enseñar el carnet de identidad. Prefería un sucedáneo de calvario a decir la verdad, igual que los criminales íntegros. Se había arrastrado hasta el fondo de la frivolidad para encontrarme, como el Gran Gatsby, y darme las gracias por aquel momentáneo deslumbramiento.

«¿Te aburrías?», le pregunté.

«Merece la pena».

Yo no me sentía preparado para esa experiencia, así que seguramente la estuviese derrochando. Por primera vez, leía los periódicos como un hombre preocupado y cruzaba los semáforos sin apartar la vista de los que me observaban desde la acera de enfrente. Vida de guardaespaldas. Corazón de conejo y ojos de camaleón. Escribí el nombre de uno de mis correos electrónicos y lo envié con una nota cuyas consecuencias no medí en ese momento:

«Escríbeme aquí. Te pondré en contacto con él, si consigo localizarlo».

Era una dirección con destinatario falso que apenas utilizaba. Podía permitirme el lujo de dejar que la atestaran como un barco de refugiados. Todos iban a copiarla y a pasársela. Más aún, quedaría grabada en las páginas de aquel foro durante un millón de años, igual que el rostro de una mujer que nos ha rechazado. Seguiría disponible mucho después de que yo hubiera muerto, así que podría volver a leer lo que dije, lo que dijo Catwoman o aquella diosa Kali que firmaba como New Barbie. No había escapatoria para nadie y desconecté sin despedirme.

Cuando al día siguiente entré en la dirección de correo electrónico que había facilitado, me encontré con veintiocho mensajes firmados por un único remitente: *Invitado*, además de otro sin firmar. La cosa me produjo risa, porque todos parecían dueños de la única llave que abría la puerta que yo había dispuesto. La elección era mía y, a pesar de que la curiosidad me empujaba hacia aquel ser que llamaba a todas las puertas, lo único que podía compartir con él eran una conversación y un café. Azares fugitivos y compasión, pero qué es la vida si no, me pregunté. La situación tenía su miga, pero qué podía hacer sino buscar, en una cafetería, el hilván de mi destino con un desconocido.

Eché un vistazo a la lista de aspirantes. Contaba con la ventaja de conocer la cara del verdadero, pero solo esa. En cambio, todos los demás me conocían a mí, incluso los que no sospechaban que A fuese el verdadero A. ¿Qué hacer? La última vez que me dejé llevar por la intuición acabé poniendo mi firma de marinero borracho, un sábado por la noche, en una de esas actas de matrimonio en las que nadie conoce a los testigos.

Abrí todos los correos y revisé todos los mensajes. Algunos eran demasiado argumentativos, o convincentes. Otros eran banales y otros claramente femeninos. Opté por el único que me pareció que contenía las palabras de un perseguido, el que aparecía sin firma. Decía: *Veámonos en un lugar discreto, pero público.* Para mí, los sitios públicos y discretos estaban repletos de fantasmas, como la sala del trono del Rey de Dovre.

Contesté emplazando al remitente para la tarde del día siguiente en el jardín interior de la estación de Atocha. Era buen fisonomista, confiaba en que aquel rostro sin maldad que había visto siempre en la misma foto no pasara inadvertido delante de mí. En el estanque de las tortugas, le dije, después ya iremos a algún sitio de las inmediaciones. No esperaba mucho del encuentro, aunque la posibilidad de tropezar con uno mismo paseando por un invernadero no está al alcance de cualquiera. Pensé en otros lugares, pero elegí aquel porque ofrecía cierta perspectiva: uno podía bajar hasta allí cuando viera el panorama despejado, y tenía posibilidades de escapar ante una cámara colgada del cuello.

El paso siguiente fue conseguir un disfraz. Sabía que por aquella línea de trópico pasaban diariamente muchos paisajistas, con sus utensilios de pintura. Pensé en comprar papel de acuarela, pero encontré en la maleta un bloc que conservaba de la época del instituto, marca Senator. Con la prisa, lo había tomado por equivocación de la estantería en que guardaba mis cuadernos de apuntes. Comprobé que, en efecto, le quedaban tres o cuatro láminas en blanco. Completé el equipo con una caja de tabletas de acuarela, confiando en que nadie se diera cuenta de que era un juguete de niños, que los pinceles de plástico no servían más que para ensuciarse las manos. Preferí no acabar mejor mi falso atavío, con óleos y cosas así. Tendría que cargar con lienzo y caballete, y era posible que tuviera que abandonarlo todo allí mismo. Nunca había pintado al óleo, pero hace años manejé la acuarela en la escuela, así que compré un mono de pintor y lo metí en una bolsa. No se me ocurrieron más formas de desfigurarme, pero incluí en el disfraz las gafas de carey que usaba para leer, estrechas y descoyuntadas. Me hacían parecer tan viejo como aquel a quien las revistas confundían conmigo.

De camino a la estación pasé por una tienda de artículos de broma y añadí un bigote bastante estrambótico y casi cobrizo, por si lo necesitaba. Mi amigo Bowman me hablaba a veces de Kirk Douglas en *El loco del pelo rojo*. Como yo no tenía los ojos de Vincent Van Gogh, preferí no tener siquiera una mirada, algo que aquellas gafas conseguían. Con ellas también renunciaba a los ojos atrevidos que habían pintarrajeado aquel bloc Senator, más llenos de esperanza que de imaginación.

Tomé los pertrechos y partí hacia Atocha. Los prolegómenos de la navidad habían llenado de personajes previsibles los vagones del metro. Gente con regalos y barbudos vestidos de rojo, como si aquello fuese Central Park. Yo mismo iba cargado con una bolsa que parecía llena de quincalla. Me apeé en la propia estación, pero antes de presentarme en el jardín subí al último piso a ponerme el mono. Con el bloc bajo el brazo descendí por las cintas rodantes, para tener una perspectiva del estanque de las tortugas y sus alrededores. Había varios paisajistas apostados en las dos glorietas. Uno de ellos pintaba una cotorra que volaba libre entre las plantas. Me acordé *in extremis* del bigote y me lo pegué como pude, porque vi que el anciano con bata blanca que había tomado a la cotorra de modelo llevaba el mentón salpicado como un rompeolas por un bigote también rojo. Todo parecía en su lugar. Llegué a la charca llena de manglares y nenúfares, dejé en un banco mis utensilios, abrí el bloc, destapé el frasco de verduras en conserva que había llenado de agua y miré a ver si divisaba a mi otro yo. No vi a nadie parecido. Quizá sea, pensé, porque ese hombre también esté disfrazado. De los cuatro que dibujaban, en pie o sentados, dos eran mujeres bastante jóvenes. El viejo de la cotorra comía chicle con unos mohínes que hubieran sido más adecuados en una pelea de perros.

Empecé a mezclar mis colores, pero un hombre de pie e inmóvil en el pasillo central me hizo desviar la atención. Iba embutido en un abrigo muy gastado, con solapas de piel de borrego. Era él. Los lentes, inconfundibles, le orlaban los ojos como si estuvieran pintados. Fui a su encuentro sin mover los utensilios, porque un padre con su pequeño Brueghel amenazaban con ocupar mi banco con un enorme caballete.

—Disculpe… —le dije a mi otro yo, pero me interrumpió.

—Se confunde usted. No soy esa persona.

—¿Qué persona? —pregunté.

Entonces pareció darse cuenta de lo chocante de su respuesta. Me miró y dijo:

—¿Es usted? No le sienta muy bien ese bigote.

Si me había reconocido con tanta prontitud, no servía de mucho. Me sentí más cómodo cuando me lo arranqué. Me picaba toda la cara.

—¿No sería mejor que se disfrazara? —dije—. Es por guardar las apariencias.

—Pero si usted no se parece en nada a mí… —dijo al verme sin bigote.

—Es usted quien no se parece a mí —repliqué, consciente de que fundaba una jerarquía. Andar escondiéndote, como si vivieras en un gueto, a la larga te despoja de modales.

—Cierto, pero yo no le he puesto en ninguna dificultad. Usted a mí en miles.

—Tiene razón, amigo, aunque ha sido involuntario. Aquí todo el sufrimiento es involuntario, como las hojas en otoño.

—¿Por qué va vestido así? —preguntó, mirando mi mono azul pálido.

—Estoy pintando, para disimular. Acompáñeme —le pedí, indicando los útiles de pintura. Al verlos, cuidadosamente dispuestos encima del banco, dijo:

—¿Forman parte del bigote?

—Cumplen la misma función.

Se sentó, tieso como un acusado, en lo que quedaba de banco. A todas luces, temía lo mismo que yo: que aquel lugar público pero discreto resultara ser demasiado público y poco discreto.

Sin embargo, las cafeterías se me antojaban más concurridas, así que seguí con mis manipulaciones. Los ridículos pinceles debían de haber llamado la atención del niño del caballete, porque el frasco de agua que había traído se hallaba ahora vacío. El niño también pintaba con acuarela, y se había dejado el agua en casa. Me lo dijo todo con una mirada temerosa que me lanzó de soslayo, a la sombra del padre. Tuve que levantarme y rellenar el frasco en el estanque del jardincillo, con el agua veteada de verdín en que nadaban las tortugas.

—¿Qué quiere decirme en realidad? —le pregunté mirando mis dibujos a cera, pintados hacía más de treinta años—. Porque no creo que haya venido a darme las gracias.

—¿Se lo ha dicho su amigo?

—¿Qué amigo?

—Ese que sabe tanto de usted, A. El que estuvo en el foro.

—El mismo.

—Quería conocerlo a usted —dijo.

—¿Por qué?

—Mi mujer me ha pedido que le pregunte si puede escribirle una dedicatoria...

Sacó del bolsillo interior del chaquetón el libro que habían estado despellejando, dos días antes, aquellas costureras de pie de guillotina que frecuentaban los foros. El libro había adquirido una fama inmerecida. Un libro que habla de temas que nunca calan en las multitudes —más aún, un libro que había que interpretar— por fuerza ha de estafar a aquellos que lo compran por creer que contiene lo mismo que las revistas.

—Se llama Ana.

No tenía bolígrafo, así que usé el pincel mojado en azul que sostenía entre los dedos y concedí uno de esos gestos tan sobrevalorados en la gente célebre.

—¿Qué piensa su mujer de lo que le está pasando a usted? —dije, para romper el hielo.

—¿A mí? Le divierte. Dice que no me comporto de un modo tan patético como usted.

—¿Pero solo está aquí porque se lo ha pedido su mujer?

—No, claro que no. Me gustaría que me hiciera desaparecer.

—¿No le gusta la fama?

—La fama estuvo bien durante la primera semana, pero han pasado más de dos. No puedo salir de casa. No me dejan trabajar en paz. Mi padre me llama por teléfono para preguntarme por qué he dejado de hablarle. Todo esto me ha superado.

—Y a mí me aburre —dije, tratando de que mi estrecho mundo de excluido se expresara a través de la caja de resonancia que ambos compartíamos—. Está fuera de mi alcance.

Aquel ser me inspiraba la misma lástima que seguramente yo a él. La lástima es casi automática. Por aquel entonces me miraba en el espejo y comparaba mi cara con las que salían en las revistas. Lo que me daba pavor no era el mayor relieve de las arrugas, sino el tiempo impenitentemente perdido entre una y las otras.

—Puede salir en la tele y decir que es usted, y no yo, ese que todo el mundo busca —dijo.

El padre contemplaba la acuarela de su hijo con una atención tan desmesurada que, con disimulo, alargué el cuello para ver lo que pintaba. El niño no se había conformado con las manchas y las figuras del paisaje. No. Pintaba una tortuguita de las del estanque, pese a que era imposible que a esa distancia pudiera ver ninguna. Me pareció que era uno de esos dibujos al dictado que hacen los niños cuando el padre les sugiere que pinten una tortuguita. Entonces me fijé en el padre. Había sacado el teléfono móvil y enfocaba la acuarela del niño como si el furgón blindado de la casa Sotheby's, con sus grandes balas de papel acolchado, estuviese esperando en la puerta para envolverlo y llevárselo.

Todos los demás pintores estaban entregados al mismo motivo, todos, excepto un caricaturista que retrataba a una jovencita pelirroja, con piernas de *pin-up* y gomas de caja de zapato a modo de ligas que posaba en uno de los bancos.

—¿Cree que la tele es el mejor lugar para contar esas cosas? —pregunté.

Mi otro yo tampoco podía apartar la vista de la tortuga del niño, ni de las piernas de *Betty Boop*. Si aquella jovencita hubiese tenido una chistera podría haber ido a parar al fuselaje de un B-52. Mi doble se estiró, como si estuviera entumecido, y dijo:

—No lo sé.

—¿Por qué no va usted y lo cuenta? —le sugerí.

—Ya lo he intentado.

—¿Y?

—Nadie ha querido escucharme.

—¿Por qué? ¿No les ha dicho la verdad?

—No tengo nada que ver con usted. Nadie que trabaje en la televisión tiene alguna duda sobre eso. ¿Sabe cuánto dijeron que me pagarían si decía que yo era usted, y que usted es un impostor que trata de sacar tajada del asunto?

—¿Y qué ganan con eso?

—A mí pueden sentarme en una silla de barbería y entrevistarme —respondió—. No tendrían más que convencer a mi mujer.

—Sin embargo, qué hay de la experiencia.

—Le quita a uno las ganas de perseguir la fama. ¿Es cierto eso que dicen, que usted quiere ser un escritor famoso?

—Sí, pero solo por su mujer.

Mirándolo mejor, me pareció que el bigote del anciano que pintaba un poco más cerca del estanque era idéntico al que yo había tenido que quitarme. Hallé una réplica de todas mis molestias en aquella cara. Resoplaba y se rascaba con un montón de gestos prestados, igual que un crupier. Incluso se quitó el bigote y lo guardó en el bolsillo, igual que yo. Entonces no me pareció tan viejo. Sostenía su rectángulo de papel de estraza ante él y aplicaba la cera con bastante desdén, como un charcutero escogiendo, entre mil escarlatas, el de la sangre perfecta. Porque para aquel tipo todo, las plantas, el agua, las luces de la estación, los rostros de las mujeres eran rojos. Solo tenía una barra de cera desmesuradamente roja a su alcance.

—¿Por qué no toma el dinero y corre? —pregunté, con una expresión prestada de Bowman.

Aquel tipo con el que tantas cosas tenía en común no dijo nada. No había mucho que decir. Leyó la dedicatoria, me dio las gracias, volvió a meterse el libro en el bolsillo y se fijó en una de las chicas que, frente a él, con su lienzo encaramado en un caballete y un carro de la compra a sus pies, parecía utilizarnos a los dos de modelos. Cuando bajó la mano con que pintaba observé que usaba una brocha enorme, de encalador, mojada en un único bote que parecía acrílico.

—Es usted un buen hombre —dije—. ¿Sabe que le pagan para estar disponible, nada más? Pura pornografía.

Estaba pareciéndome muy alarmante lo que veía. Nunca había presenciado a tantos dibujantes sin inspiración y, de hecho, todos pintaban para no mostrar lo que cada uno era. Yo hacía lo mismo, aunque algo determinante me separaba de ellos: yo era la liebre mecánica. Las apariencias se vinieron abajo cuando un objeto niquelado apareció en la mano que le quedaba libre a aquella pintora de brocha gorda. Una cámara fotográfica, quizá un teléfono de esos que tienen los píxeles suficientes para fotografiar hasta tus planes de futuro. Al niño no se le daba muy bien el dibujo, pero el padre miraba al resto de los pintamonas como si los conociera, y su mayor aspiración fuese interponerse entre ellos y nosotros. La *pin-up*, cada vez más cerca, se subía la falda para dar pistas al caricaturista. Las gomas de zapatería que agarraban las medias gastadas a sus muslos parecían haber sido desenrolladas de un fajo de billetes. Ella y el caricaturista habían llegado hasta las verjas que servían para delimitar los arriates. La pintora de brocha gorda cubría el lienzo de color, al igual que el pintor con manos de matarife. No había formas, solo algunos puntos en los que el verde se había filtrado a través de la cartulina.

No era la primera vez que todo me parecía irrevocable. Yo miraba el bloc abierto de mis dibujos infantiles y me daban ganas de tomar el pincel gastado, por ver si fingir que era tan pintor como ellos me libraba de aquella escena previsible como la gravedad. Buscaba una explicación, pero el único de los presentes que me inspiraba un poco de confianza era aquel hombre, de rostro como perfilado para el estupor, al que había gente que pagaba para que fuera yo. No sabía ni cómo se llamaba, pero los nombres de los demás, de los fingidores que nos rodeaban, eran otra cosa. Me pregunté quién sería New Barbie, quién Catwoman y quién el imbécil de Valmont.

—Nos vigilan —le dije.

—Ha debido de ser mi mujer. Le gustaría que aceptara todo lo que me proponen. Como no lo hago, es ella la que crea las condiciones. Tiene acceso a mi correo. Seguro que ha filtrado nuestra cita. Mañana saldré en todas la revistas, igual que usted.

—Ya sale —dije.

Del pintor del papel de estraza pensé que se había disfrazado bien, porque ni siquiera era un tío. Debía de ser Valmont.

—Adiós —dije, levantándome con lentitud, porque había observado que la pintora del carro de la compra me había guiñado el ojo, mientras me hacía una foto. Bastó amagar un ademán de huida para que aparecieran los aparatos electrónicos más inverosímiles. Di la vuelta e intenté mezclarme con la gente. Miré atrás un segundo y vi que el hombre del que acababa de despedirme y a quien tanta gente, sin conocerme, había tomado por mí seguía inmóvil en el banco, en una actitud de profunda inhibición. Las dos pintoras jóvenes lo fotografiaban.

Me escabullí en dirección al metro y tomé el primer tren que pasó, porque no iba al hotel. No podía arriesgarme a que alguno de aquellos ciegos de Düsseldorf me siguiera y apareciese al anochecer sentado en el borde de mi cama, tomando apuntes de lo que decía en sueños. Hice transbordos hasta perder la noción de cuan largo y ancho era Madrid. Bajé en cualquier estación, me quité el mono, lo tiré a una papelera y volví a subir. Quizá Bowman supiera si aquello lo había visto en una película. Era el tipo de referente que le quedaba a mi libertad de perseguido. Solo tenía una segura ventaja sobre los que me perseguían, fueran quienes fuesen: más adrenalina. A ellos les pesaba el oficio, si es que eran oficiantes de algo. Corrían sin convicción. Sus ambiciones no estaban a la altura de mi agobio.

Terminé a las doce de la noche en un locutorio de Lavapiés, rodeado de gente de lo más variopinta. Era la peor hora para conectarse. La hora del desarraigo. Todos se hacinaban en aquella Casablanca de chabolistas del espíritu. Esperé, bebiendo versiones andinas del calimocho, a que una terminal quedara libre. Entonces me ubicaron junto a un negro que había pegado la foto de una chica, sacada por impresora, en la pantalla. Cuando volví a entrar en el único foro que conocía, los brochones de afeitar seguían en alto, a juzgar por la forma en que narraban lo ocurrido por la tarde.

«Hipócritas», solté.

«¿A?», preguntó Catwoman, como si no lo supiera. «Eres muy duro con todos nosotros».

«¿Y tú quién eras?», aventuré. «¿La *pin-up*?»

«¿Estabas allí?»

«Por casualidad. Me pareció que el caricaturista lo tenía bastante fácil».

«No seas grosero, ¿no te das cuenta de que era él o nosotros?»

«Siempre es alguien o vosotros… ¿Qué vais a hacer con las fotos?»

«No te pierdas las revistas del miércoles», soltó New Barbie. «Ni el programa de mañana, el que ponen a las veintidós horas. Sabrás muchas cosas nuevas de tu amigo».

«¿De cuál de ellos? ¿El verdadero o el falso?»

«Eso es lo que menos importa», dijo New Barbie.

«Ya, pero seguís sin saber quién es quién».

«¿Tú crees?», dijo Catwoman. «Uno se fue y el otro se quedó».

«¿Y qué?», dije. «¿Acaso el que se quedó aclaró quién era, o quién no?»

«¿Alguien se quedó con el que se quedó?», preguntó Pimpinela.

«Yo», dijo Valmont.

«¿Solo tú?», escribí. «Entonces tendrás que aprender a hablar en público».

Observé que el negro de mi lado había conseguido que la chica de la foto apareciese en pantalla, con una de esas sonrisas que consiguen meter a todos los hombres en el mismo saco. Su enorme boca, hecha para un cartel de rascacielos en rehabilitación, pasada por el aerógrafo con la luz que entra por el ojo del Hubble, pronunció unas palabras que no se oyeron, pero aparecieron escritas al mismo tiempo, como consolación. Sin duda era eslava, una de esas bellezas que llegan a Occidente porque una limusina las saca de una columna de refugiados.

«Soy Denis», escribió el hombre de color.

«¿Tampoco hoy puedo verte? ¿No tienes webcam?», preguntó ella. «¿Ni un equipo de sonido?»

Vi que el negro, que había tapado con un chicle el ojo de la cámara, escribía un lastimero *no*. Todo el mundo lo leyó, pues todo el locutorio de la calle Tribulete había empezado a moverse hacia aquellos ojos como playas del Índico y aquella boca de fuego. Al negro no le importó que algunos, con el vaso en la mano, se quedaran contemplando una intimidad que podía echar raíces en cualquier corazón. Algo así no pertenecía a nadie, y menos a dos amantes que no se conocen.

—No existe, ¿verdad? —le preguntó al negro un compatriota.

—No.

—¿Cómo se llama?

—Nené.

—¿Te ha dicho ella que se llama Nené? Pero si parece rusa.

—Es modelo —dijo el negro.

«¿Y vosotros os conocéis entre vosotros?», le pregunté a los que se hacinaban al final del túnel por el que yo tenía que sacar la cabeza. «¿O todos improvisabais en Atocha? ¿Alguien sabe pintar?»

«Yo no», escribió Valmont. «¿Y tú? ¿Estabas allí, o eres quien todos creemos que eres?»

«Qué más da», escribí.

«Aún no sé cómo eres. Deberíamos conocernos mejor», escribió Nené en la pantalla que tenía a mi lado.

Algunos de los que se habían apuntado a la fiesta lanzaron silbidos.

—Dile que no tienes donde caerte muerto —le sugirió al negro uno de los presentes—. Si te quiere de verdad, no le importará.

—¿Cómo soy? —preguntó el negro a su compatriota.

—Bueno, eres un hombre bueno.

—Eso les importa un carajo a las tías como esa —dijo uno que sostenía un tercio de cerveza.

«Soy bueno», escribió el negro.

Todos esperaron los dos minutos que ella tardó en responder, dos minutos de un intenso silencio en los que pareció dirimirse la vigencia de los buenos sentimientos.

«Eso ya lo sé», respondió ella. «Quiero saber cómo eres físicamente, en qué trabajas, qué te gusta».

«¿Por qué quieres saber todo eso?», preguntó el negro.

«Porque no sé si tenemos algo en común».

—Pregúntale si tiene algo en común con todos los que se acuesta —sugirió el de la cerveza—. Solo por barajar las posibilidades. Aunque si yo estuviera en tu lugar me importarían un carajo las cosas en común.

Sin embargo, el negro no escuchaba. Estaba solo en la vida. Compartía un bote de zumo con su compatriota, que estaba tan solo como él, y ahora seguía solo frente a aquella posibilidad que no era para él, con la que solo podía soñar.

«Yo creo que Valmont se quedó con el falso, ¿verdad, A? Valmont siempre se equivoca», dijo Catwoman.

«¿Quién era el que te hacía la caricatura?», le pregunté. «¿Un becario? ¿Te lo ha puesto la cadena?»

Debajo del maquillaje, Catwoman era una periodista que quería abrirse camino. Así, de pronto, no la había reconocido en la estación, pero tanto su cara como sus frases, después de que todo hubiera ocurrido, me sonaban. Mi esposa solía emitir opiniones malsonantes sobre ella. Había salido algunas veces de invitada en programas que mi mujer menudeaba, en los que todos picaban carne en una máquina de manubrio y hacían compota con los rumores que se quedaban descolgados de otras franjas horarias.

«¿Desde cuándo lo sabes?»

«Desde el comienzo de tu carrera», escribí. «Eres de esas pocas mujeres que me buscan sin tener en cuenta mis encantos».

«Sabía que eras tú».

«No puedo evitarlo», garabateé. «Es una obviedad. Me escondo, pero sigo siendo yo».

Empezaba a parecerme más interesante la conversación del negro. Él había puesto más de sí mismo sobre la mesa. Las mujeres inalcanzables tienen eso, le quitan a uno solo lo que necesita, lo que no está dispuesto a dar aunque lo desangren y busquen después en el fondo de la artesa.

Creí que el negro había conseguido reunir la docena de palabras que necesitaba para mantener a Nené frente al teclado, pero todo era gracias a su compatriota. Con un castellano que parecía un mar donde naufragaba el swahili, dictó al otro:

—Cuando te veo, me cruza el pecho la cordillera de un escalofrío. Dilo así.

Aquel hombre era un poeta. No era suyo, pero al menos sabía qué hacer con las palabras hermosas y bien dispuestas.

—¿De dónde lo has sacado? —preguntó el negro.

—Ramón Gómez de la Serna —respondió el poeta—. Son palabras mágicas, ¿verdad?

—No es de Ramón —tercié—. Es de Cansinos. Pero no le escribas eso, o la perderás. Dile, sencillamente, que la quieres.

—¿Por qué va a decirle que la quiere, si solo quiere acostarse con ella? —preguntó el individuo de la cerveza.

—Hay que decir la verdad. Antes les gustaba a las mujeres. Además, lo otro no es suyo. Si le dice eso va a tener que hablar en endecasílabos al menos seis meses más.

—¿Endecasílabos? —repitió el de la cerveza—. ¿Y tú quién eres?

—Uno que lleva treinta años intentando merecerlos.

El negro no sabía con qué quedarse. Se lo expliqué:

—A esa chica, que seguramente tiene mucha sensibilidad, le va a resultar raro. Es posible que también tenga intuición, y sospeche que dices cosas tan bonitas porque eres un negro que solo quiere acostarse con ella.

—No quiero acostarme con ella —dijo el negro.

—Lo sé, por eso tienes que decirle que la quieres. Limítate a ser sincero.

Yo había llegado a Madrid, quince años atrás, para escribir como Cansinos. Convencido de que en provincias nunca lo conseguiría, los primeros años de Madrid había vivido como el hombre de Alcatraz. Aquella cita de Cansinos me había atravesado el pecho como una cordillera. La había olvidado y, de pronto, la recuperaba. Vi que el negro escribía:

«Te amo».

¡Uf! A Nené la amaba tanta gente que quizá había dado un mal consejo a su pretendiente. Quizá lo más sincero hubiera sido abrumarla con las palabras de Cansinos, expresar un amor más grande que el que formulaban las convenciones sobre el amor, aun a riesgo de distanciarse. Un amor tan superior a nosotros que nos sobrepasa, que deja de pertenecernos y necesitamos las palabras de otros, las que un genio ha dicho a mujeres que aún no han nacido, o que llevan muertas desde que se extinguió la metáfora.

«Entonces vamos a quedar. Quiero saber cómo eres», dijo Nené.

El negro me miró con una desesperación que asomaba desde más allá de un torno de convento, como si yo pudiera compartir su soledad, aunque fuera desplumándola entre las macetas de un patio frío. Pensé que quizá Cansinos miró así durante los años que traducía en el Madrid de Franco. La decisión era suya, de aquel hombre negro y desesperado, pero su mirada dejaba claro que tenía muchísimo que perder. Se extasió, por agarrarse al tiempo, en el rostro sonriente de aquella chica que tanto amaba exhibirse en la pantalla.

—Dile que se quite algo —sugirió el tipo de la cerveza. Pero el negro no lo oía. Estaba ausente. Era un hombre postergado que contaba palabras y separaba, como un aventador, las que debía decir de las que no. Un grupo de cuatro o cinco polacos, o rumanos, entró y fue frenado por aquel silencio que solo se ve en partidas de póker donde se apuesta lo último que se tiene. Los recién llegados se asomaron a la pantalla. Nené sacó una barra de labios y estuvo pintándose como en una sala de interrogatorios, separada por un cristal de una habitación atestada. Parecía impaciente, pero su hombre había tomado una decisión. Tecleó con lentitud algunas palabras que todos iban leyendo. Finalmente, sin esperar contestación y sin mirar atrás, se levantó y salió del locutorio. El texto decía:

«Soy un hombre de color, pero cuando te veo me cruza el pecho la cordillera de un escalofrío».

Lo había dicho todo y, de pronto, Nené cortó la comunicación. Su óvalo de ángel traicionado desapareció de la pantalla. Al tipo de la cerveza no le dio tiempo a dejar el casco sobre la mesa y sentarse frente al teclado, porque Nené ya no estaba y cundió un desaliento del que no llegó a desprenderse ni una sola palabra. Todo formaba parte de un mundo en el que no se cumplían los sueños. Dejé libre el ordenador. Los que me habían perseguido por la tarde seguían amenazando a mi sombra con lejanas bocacalles. Antes de salir a la vía pública le dije al homúnculo de la cerveza:

—En este chat hay más tías buenas. Di que te llamas A.

No tenía nada más que añadir, ni me apetecía oír nada que mi curiosidad pudiese convertir en un lastre. Ya lo vería todo en los programas televisivos del día siguiente y en las revistas del miércoles, así que salí a la calle. Era una temeridad, porque aquellos pintores de brocha de afeitar podían estar de guardia todo el día en todas las esquinas. Desde hacía dos semanas le daba vueltas a la conveniencia de un disfraz y, de hecho, estaba pensando ya en uno cuando encontré el bigote en el bolsillo. Fue un acto reflejo: apenas tenía pegamento, pero me lo puse sobre el labio como si la cara de otro fuese lo único que podía hacer que me sintiera a salvo. Llamé a varios taxis, pero no paraban. Quizá fuera por causa de aquel bigote de otro siglo, el de Cyrano de Bergerac, el del vizconde de Bragelonne, que me serpenteaba en la cara como la rúbrica de un cirujano plástico. Tuve que subir andando hasta Puerta del Sol.

Cuando llegué al hotelito, me sorprendió ver la ventana de mi cuarto a oscuras. Ni *paparazzi*, ni teleobjetivos en la luna del bar de enfrente, ni los alientos que dejan en los cristales la gente escondida. El mundo parecía haber hondeado allí sus calles tranquilas, sus barrios de conformistas o indiferentes. ¿No tenía aquel hostal recepcionista? Pasé por el pequeño *hall* de puntillas y cuando llegué a la habitación nadie esperaba sentado en la oscuridad. Ningún sobre bajo la puerta. Tendría que decirle a mi mujer que no me dejara ver tantos documentales, y a Bowman tantas películas sobre el *Watergate*.

Encendí un cigarro y llamé a Laura desde el teléfono de la habitación. Sabía que se quedaba trabajando hasta muy tarde. Una de esas formas del carácter que se convierten en hábitos. Bowman sí estaría dormido. Prefería no discutir con él la maldad de subarrendar mis recados, así que la llamé al teléfono móvil.

—¿Podrías grabarme el programa más aberrante que pongan mañana a las veintidós horas? Me van a sacar.

—Supongo que te refieres a *Tu espejo*. ¿Quieres que después te lo envíe?

—No, solo consérvalo, por si tengo que demandar a alguien. Me han dicho que ahora se lleva eso.

—Muy bien, ya es hora de que pienses en tus intereses. Si quieres te recomiendo un buen abogado.

—No quiero dinero.

—¿Entonces? ¿Vas a conformarte con una disculpa?

—Quiero el olvido.

—La única forma de conseguirlo es decir una tontería tras otra, todos los días. Habla como ellos, entonces te olvidarán. Supongo que te habrás escondido donde todo el mundo pueda verte...

—Hasta mañana —corté.

Abrí la ventana que daba a la calle. Hacía frío y, pese a ello, no tenía ganas de irme a la cama. Había peleado durante años con mi madre, y después con mi esposa, por ese presuroso, casi patético cigarro de trinchera entre el fin del trabajo frente a la máquina de escribir y el sueño. Ahora todo adquiría, por fin, el sentido que había deseado para los personajes de mis novelas. Están muertos, me decían los amigos. Les quitas su libertad y los ahogas. Es tu aislamiento el que los coloca sobre la página. Tienen razón, pensé. Quizá los encerraba en una sala de inclusa, para no ser yo quien tuviera que mostrarles el mundo, y ellos se dormían pensando en mujeres calientes y champán frío. Mi vida entera apestaba a orden. Hasta Laura, después de años, seguía acertando con los consejos. Una jodida sibila, por eso la dejé. Uno no puede fundar una vida (un proyecto, decía ella) con alguien que se entera por los posos del café de si vas a acordarte del aniversario de boda, y te recrimina el olvido de antemano. Bowman pensaba lo mismo. Solía burlarse de su habilidad para equivocarse en casi todo con antelación.

La noche siguiente, a la hora marcada por New Barbie, después de pasar un día en el que a duras penas, y solo vicariamente, conseguí evitar un extraño compás de espera, me planté ante la televisión. Las audiciones psicofónicas que veinte años atrás emitían por la radio eran más fidedignas que lo que se decía en esos programas llenos de afirmaciones fundadas, pero no quise perderme una actualización tan significativa de mi historia. También la ficción me alimentaba, como a un paciente en el patio de un manicomio. Me parecía cada vez más verosímil que alguien me dijera quién había sido yo.

Fui cambiando de canal y, aunque el rinoceronte africano era un precursor de Ionesco y me interesaba, no pude evitar ver la publicidad del programa *Tu espejo*, al que asistían como invitadas dos mujeres tan parecidas entre sí como los dos electrones del helio. Sus cortes de cara me recordaban vagamente a la mula Francis, un personaje de serie televisiva de mi infancia. Como adelanto, con frases entresacadas de un tráiler, pues la función de esa noche era en directo, una de ellas decía que yo era un tipo muy poco agraciado, y que no se explicaba cómo había adquirido tanta notoriedad. Yo tampoco me lo explicaba. Aquella notoriedad que ellas mismas me adjudicaban no me parecía grande, sino vacía. Me obligaba a vivir junto a un teléfono, dentro de una casa asediada, o vigilado por correveidiles apostados en mi puerta para preguntar necedades que no interesan a nadie, con la excusa de interesar a todo el mundo. ¿Es esta la notoriedad?, pensé mientras me echaba en la cama. La notoriedad de un linchamiento. La notoriedad de un mil veces negado, censurado y aplaudido aparta de mí ese cáliz. Sin embargo, había renunciado a pasear esa tarde, pese a la hermosa luz invernal que persistía en las calles después del anochecer. Le había tomado gusto a recuperar recuerdos en las calles de Madrid, pero sobre la posibilidad de lanzarme a la calle como un poeta solitario prevaleció la curiosidad por oír qué decían aquellos jornaleros de plató sobre un personaje inexistente que la gente tenía en la cabeza. Atrapado por esa vida entre dos luces, ni me había dado cuenta de la llegada de diciembre, a pesar de que lo tenía ya en todas las cabeceras de las revistas. La nieve de los grandes almacenes empezaba a cuajar pisadas que no se deshacían con el sol, y yo atravesaba día tras día ese falso Klondike como el hombre invisible, tapado hasta ser otra persona.

En efecto, volvieron a pasar la secuencia y una de las dos señoras repitió la misma sarta de comentarios que, al parecer, tanta expectación despertaba en los televidentes. Las relaciones con mi padre, mi inexplicable escapada a través de media España, siempre por carreteras secundarias, los secretos inconfesables que me eran atribuidos y, en fin, la existencia de un pasado inconveniente que había tenido que meter, clasificado por años, en la caja de seguridad de un banco.

—Me consta que más de una agencia de detectives está siguiéndole la pista a este señor —dijo una voz. Entonces reparé en que había un hombre entre las dos señoras, un tipo algo más joven cuya cara me sonaba. Llevaba una corbata amarilla que lucía con naturalidad, como el pecado original, pero era de ese tipo de personas cuyo aspecto carecía de importancia o, al menos, su público se lo perdonaba.

La televisión se hacía eco de las revistas y viceversa. En una continua retroalimentación, repasaron la sombra que me habían atribuido junto al vecino abogado; la subida por la rampa del garaje, días atrás, en la que parecía cinco años más viejo; el paso dentro del coche, con la ventanilla subida, desde el que saludaba como un minero milagrosamente ileso tras un derrumbamiento. El presentador empezó anunciando una exclusiva que me mantuvo frente a la pantalla como cuando, de niño, aguardaba la música de *Perdidos en el espacio*, *Viaje al fondo del mar* o *Tierra de gigantes*. Todas aquellas joyas de Irwin Allen las había ido recuperando en grabaciones dobladas por chicanos. La anunciada exclusiva no aportaba nada exclusivo. No sacaba a la luz nada que yo no hubiera dicho, ni hubiese dicho aquel hombre al que continuamente confundían conmigo, tan quieto frente al estanque de las tortugas que, aunque lo habían grabado en vídeo, parecía una foto fija.

Pasaron por alto las imágenes del día anterior, porque aguardaban a un desconocido que apareció en escena con un pie de pantalla que anunciaba su identidad y profesión: Fulanito de tal. Psicólogo. Aquello empezó a interesarme. El tipo parecía un Rasputín hiperactivo, uno de esos que saben que su ciencia no existe sin proselitismo, a ser posible televisivo. Llevaba el pelo largo y engominado, de forma que el mechón a la derecha de la raya parecía una regatera terminada en cascada. Lo sentaron frente a las dos señoras y el moderador le preguntó por un dibujo que apareció de pronto, hecho de diferentes texturas, en el que predominaba el azul marino.

—¿Entonces afirma usted que este dibujo solo ha podido realizarlo un niño con una idea poco clara de su futuro? —preguntó el presentador, como si el camino que desembocaba en esa conclusión hubiese aparecido en el programa de la semana anterior.

—Un niño inseguro —aclaró el psicólogo.

—Inseguro —repitieron las señoras al unísono. Y una de ellas, con objeto de recabar objetividad, redundó—: ¿En qué sentido?

—Miren el sol… —señaló el invitado. El dibujo, que había sido llevado al margen superior de la pantalla, se amplió hasta ocuparla por completo—. Parece apagado, y no creo que fuera porque se le acabó el amarillo. De hecho, el platillo volante que viaja por el espacio, acercándose a esta pequeña estrella, también es amarillo.

—Amarillo apagado —recalcó el sujeto sentado entre las dos señoras, observando con alivio que el amarillo de su corbata era ostensiblemente más vivo—. ¿Es eso lo que denota inseguridad?

—Una inseguridad determinante, yo diría que paralizante —diagnosticó el psicólogo—. No es extraño el distanciamiento que en los últimos días ha surgido entre él y su padre. Estoy seguro de que viene de lejos. Si ese amarillo fuera más encendido, habría esperanza. Esa relación paternofilial no hubiese llegado a donde está.

Entonces identifiqué el dibujo. Lo habían sacado del álbum infantil que dejé olvidado en mi huida apresurada de Atocha. Un azar incuestionable había hecho que esos fragmentos de infancia me siguieran a través de una docena de mudanzas, desde los diez años. Cada cierto tiempo encontraba aquel bloc de charol azul, pero nunca había llegado a abrirlo, quizá por causa de una falsa percepción de continuidad. Había escrito tantos fragmentos estirando mi infancia que no había acuñado la nostalgia suficiente para que aquellos dibujos me produjeran un ápice de curiosidad. Siempre tenía la impresión de haber acabado el último dibujo el día anterior, pero la televisión me mostró todos los años que me separaban de aquellos recesos intactos en mitad de las duras jornadas que me llevaban del colegio a las series de Irwin Allen. Muchas imágenes aún vivas se habían posado en aquellas páginas. Algunas no se me habían ido de la cabeza: Peter Cushing disparando en el páramo contra el perro de los Baskerville, las patas mullidas de la mujer pantera caminando por el borde de la piscina, o el Nautilus entrando por un túnel submarino al interior de un atolón volcánico. El bloc estaba lleno de cosas así. Lou Ferrigno y *Los imposibles*. Las bestias imaginarias de *Simbad y la princesa* y la lucha del Profesor X contra su hermanastro, Caín Marco, alias Juggernaut.

Los dos electrones del helio se mantenían en su incertidumbre, formulada por Heisenberg, empeñados en no entender la mía. Una de aquellas mujeres comentaba los puntos de contacto entre mi desaparición y la orza de documentos clasificados en que se había convertido mi pasado. No entendía que hubiese optado por convertir mi vida en un juego, en lugar de en una transacción. Yo podía mantenerme en silencio, pero era un mal ejemplo. El silencio y la huida hablaban en mi contra. Un hombre de cuarenta años no podía permitirse jugar al escondite, al ratón y al gato, sobre todo siendo el ratón. Un Fantomas masoquista, eso es lo que era. Un desharrapado con muchos horizontes y una única y menesterosa cuenta corriente. La otra mujer se hacía eco de un aluvión de rumores muy fundados, que pormenorizaban episodios de mi infancia contados por terceros y cuartos amigos, y los justificaba con las recientes aportaciones del psicólogo, mientras éste se acicalaba el pelo en un cuadro inferior de la pantalla cuando creía que las cámaras apuntaban a otra parte. Los rumores acababan siempre en vaticinios de mi paradero. ¿Dónde estaba, si los vigilantes de mi casa, en sus informes horarios, afirmaban que no había pasado por ella? ¿Cuál era la secuencia que guiaba mis pasos? Era evidente que estaba en Madrid, no en yates ni en mansiones de gente rica y famosa. Por tanto, la imagen, en primer plano, de aquel pequeño y decadente platillo volante en su ruta hacia lo desconocido, impulsado por el poder de preguntas tan grandes y claras, empezaba a cobrar un nuevo significado. ¿Era acaso un soñador y, por tanto, un cínico? Ya que mi casa estaba a oscuras desde hacía días, pensar que iba en la panza de aquel platillo no era reducir demasiado al absurdo las posibilidades. Qué contrariedad: la única percepción que llegaba a través de la tele era la de aquel amarillo tibio, aquella luz que cruzaba el universo con un deseo irrevocable de no estar en aquel plató. Ellos mismos pareció que se daban cuenta de eso. Supuse que muchos televidentes de mi generación tendrían un bloc como aquél en el desván, pero la miopía de Fulanito de tal, psicólogo, insistía en el amarillo pálido del Júpiter 2. Lo que aquel personaje tomaba por debilidad era justamente fortaleza. Mi generación no aspiraba a cambiar el mundo, pero había montado en aquel platillo para cambiar otros. Todos los que a finales de los sesenta habíamos visto al módulo lunar del Apolo XI filmar el Mar de la Tranquilidad conservábamos, en pequeños altares escondidos, pinturas como las de aquel bloc.

Encontraron el mono que había arrojado a la papelera de Antón Martín. No me fijé en qué lugar de la línea 5 me desprendí de él, pero allí estaba, echado en el respaldo de una silla, con todas sus arrugas hiperrealistas. Una prenda demasiado nueva, comprada casi sin propósito. Se notaba que era el atuendo que alquilaría un impostor. En los bolsillos hallaron la etiqueta del establecimiento donde lo adquirí. Mostraron las escasas fotos que me habían sacado hablando con mi doble. ¿Quién es quién?, rezaban los pies de foto. Las opiniones se hallaban divididas, pero el hecho de que la pregunta prometiera ser contestada al final del programa adelantaba que iban a hacerse públicas nuevas revelaciones. En un vídeo recurrente y sin brillo interrogaban al hombre de las gafas pintadas, antes de marchar a publicidad, sobre las razones de aquel encuentro.

¿Quién lo había propuesto, y por qué? ¿Se lo ha pedido usted, o ha sido él? La existencia de ese vídeo significaba que mi doble había esperado en el invernadero de la estación de Atocha, sentado y mirando al vacío, tal y como se le veía, a que llegaran unos periodistas que nunca llegan si no es para describir lo indescriptible.

Él no tiene por qué huir, me dije frente a los ojos limpios con que aquel hombre miraba a la cámara. La situación lo había puesto a prueba y él había ganado la partida cambiando las reglas. El capitán Kirk en el Kobayashi Maru. No necesitaba hablar, su silencio no resultaba tan forzado como el mío. No tenía nada que declarar. Estaba ocupado pensando en sí mismo. Era amable a base de indiferencia, y había algo tan íntimo en aquella indiferencia que apenas rozaba una intención. Irradiaba candidez y rechazo con la misma fuerza, como las novias del amor cortés.

Que él despliegue ante tantos ojos vigilantes sus tres horas de metafísica, pensé. Eso me permitiría ser un hombre libre, igual que, sorprendentemente, lo sería él. Sería libre para aceptar cualquier resumen de mi vida entera. En ese momento no tuve muy claro que fuera el libro que su mujer le había metido en el bolsillo el motivo para entrar en escena. Aquel tipo degustaba el acoso a que era sometido como si yo mismo no fuese sino un lastre, un impedimento para profundizar en las preocupaciones que yo mismo le había endosado.

Las dos mujeres del plató seguían la consigna de no pronunciarse todavía sobre la identidad de aquel misterioso desconocido. La cadena sacaba provecho de que nada se resolviera y, con sus pequeños cartapacios de papeles en blanco sobre las rodillas, ellas parecían las menos interesadas en esa identidad. La televisión me escandalizaba cada día más, así que había optado por no encenderla. Que la vean ellos, mis contemporáneos, solía pensar. La televisión me obligaba a juzgar, a alinearme de parte de mis propias emociones, como si estuvieran amenazadas. Era imperdonable en un novelista, y yo me consideraba un novelista. Tenía ojos de novelista, aunque el mundo me los hubiera quemado con una hoja candente, como a Miguel Strogoff.

El psicólogo, apoyado en evidencias fantasmagóricas, tomó al hombre de Atocha por el autor de aquellos dibujos. Muy pronto, de vuelta de publicidad, las mujeres se encargaron de aclarar que la verdadera presa era yo, no el hombre que parecía una estatua de sal, sentado frente al estanque de las tortugas. Si no huía de la prensa es que no tenía nada que mereciera saberse. Por tanto, la prensa debía abandonar esa vía muerta. Lo que interesaba era adónde conducía mi búsqueda. Yo era un enfermo con los días contados, rastreando su lecho de muerte. Eso lo sabían todos. Al final de ese camino es donde debían esperar las cámaras.

Yo huía porque buscaba otra clase de fama, dijo una de las dos mujeres, no la de un hijo descastado que arroja a sus padres de carnaza a la prensa mientras él se encierra en el camerino para maquillarse para la posteridad. Las metáforas fueron enteramente suyas, lo cual me extrañó porque, según sus declaraciones, no entendían una palabra de mis libros. Poco a poco, el psicólogo empezaba a perder interés por el platillo al que un cielo fulgurante había robado parte del brillo de la carlinga. Es evidente, matizó, que este señor no quiere hablar más que de sí mismo. No testifica, no es un mediador, y ahora se niega a aparecer como tema. Si lo es, lo es solo para sí mismo. Este señor no quiere que los demás tergiversemos sus palabras. Persigue la fama, concluyó la que había apuntado la exclusiva, pero la fama literaria.

—¿Esa? —formuló el presentador. El terror expresado por el rostro de la otra mujer, a pesar de ser una deducción pactada, fue de esos que calan en la audiencia. Dijo:

—¿Quién se cree que es? ¿Ken Follett?

—Quiere aprovechar el tirón mediático para labrarse un porvenir con mayúsculas.

—¿Qué significa con mayúsculas? —preguntó el presentador.

—No escribe ni la mitad de bien que Proust —recalcó el psicólogo—. A juzgar por algunos de los dibujos que tenemos aquí, casi podríamos afirmar que su necesidad de trascendencia, que es la que proporcionan las artes, es una fijación infantil, quizá reprimida por el padre.

—¿Y cómo sabe que esos dibujos son de un niño? ¿No podrían ser dibujos recientes? —propuso una de las dos señoras. Yo había empezado a confundirlas, a pesar de algunas nimias diferencias. Mi perspicacia para los detalles no estaba tan afilada como antes.

—¿Cómo de recientes? —preguntó el presentador.

—Quién le dice que no pintó ese platillo el otro día.

—Es una suposición arriesgada. Ello supondría...

—Que es un tarado —diagnosticó el figurante de la corbata amarilla.

—En efecto. Tendría una edad emocional de siete años. No sería responsable de nada.

Apareció una azafata rubia con coleta, vestida como si estuviera en una etiqueta de mermelada, y fue pasando las hojas del bloc. Surgieron, demasiado deprisa, personajes televisivos olvidados, figuras de los *cartoons* de aquellos tiempos: *Meteoro*, *El hijo de Frankenstein*, *Misterio a la orden*, *Los imposibles*. El psicólogo pasó sobre ellos con rapidez —él había llegado con diez años de retraso a todo eso— para ir a explayarse en los manchones de cera Manley que apenas significaban barcos, esfinges y gorilas encaramados en rascacielos.

—No parecen dibujos recientes, aunque no me arriesgaría a hacerles la prueba del carbono 14 —dijo aquel especialista de descapotable. A medida que pasaban los dibujos, deploré habérmelos dejado olvidados. Empezaba a ver cosas, a disfrutar con aquellos mundos perdidos, dispuestos en encuadres mágicos para que no cambiaran jamás. Una extraña muestra de persistencia. Cíclope y la Chica maravillosa en su viaje sentimental en busca del rubí de Cyttorak y, desde luego, el monstruo en el bloque de hielo de *El enigma de otro mundo*. A los siete años, yo era un niño que ya escribía, aunque no conservo ningún texto de entonces. Un niño visual, el último hijo de McLuhan. Lo más involuntario de mis recuerdos estaba en ese álbum, arañado por la luz de otra época, que había caído en manos de aquella gente.

Hubo una llamada de un tipo de mi generación que pasaron a plató. Aclaraba que Jean Grey, *La chica maravillosa*, no era una *starlet*. Alguien dijo que seguramente habían pinchado mi teléfono, pero que yo ya no debía temer esa circunstancia, si era verdad que tenían mi casa vigilada y no había pasado por ella. Todos contemplaron esa posibilidad, sin dejar de lado otra poco práctica, que a mí me convertía en mártir y a ellos en tontos: que yo siguiera en mi casa, como un topo de la guerra civil, visitando el frigorífico en mitad de la noche. La ignorancia solo puede disimularse si se la acrecienta, sostuvo alguien en otra llamada.

Guardaban una última exclusiva que venía —dijeron— a abundar en el tema de mi paradero. Tuvieron que adelantarla porque el programa empezaba a apestar a culturalismo, con lo de *La chica maravillosa*. Se trataba de una entrevista con alguien que, según anunciaron a bombo y platillo, había hablado conmigo la noche anterior. Esto me cogió desprevenido. Durante los anuncios, me asomé a la ventana y encendí otro cigarrillo. Mi fe en quedarme al margen iba menguando poco a poco. Que yo recordara, había pasado todo el día liado con los preparativos para el encuentro de Atocha. Solo había hablado con mi otro yo, el hombre del que no sabía ni su nombre, y con Laura, ya de madrugada. Sin embargo, mi memoria poseía más piezas de las que había contado: la figura que apareció en el plató, sin sus maquillajes de quinceañera revenida, era la *pin-up* de Atocha. Cruzaba las piernas del mismo modo y posaba como si todo el mundo llevara una cámara en el ojal. Los focos parpadearon cuando entró, en mitad de un aplauso atronador, y fueron menguando hasta desplegar la luz ferroviaria de un crepúsculo de verano en el campo. Mi esposa me llamó en ese instante.

—Casi no te reconozco —dijo.

—La televisión cambia a la gente. También yo me veo distinto, aunque tendrás que ser tú la que les diga quién de los dos soy...

—Parece que estoy casada con Lee Harvey Oswald. Ten cuidado: la recién llegada es una comensal asidua en esos comederos. ¿De verdad has hablado con ella?

—No —dije, aunque todo adquirió un nuevo sentido en el instante en que desveló cómo había conseguido acercarse al hombre más buscado. Fue ella la que arrambló con mi álbum de pintura. Se mostró en todo de acuerdo con las conclusiones del psicólogo. Es, dijo, refiriéndose a mí, un personaje muy esquivo. Nos hizo dudar, porque el otro se quedó callado durante diez minutos en el banco. Sin duda, ambos habían establecido un acuerdo que le permitiera escapar. ¿Su carácter? ¿Quién comprende a un hombre que huye de las cámaras? Las mujeres estamos más preparadas para la popularidad. A él se le ve incómodo. Necesita interponer algo entre él y los demás. Lo que aún no sabía ella, declaró, era por qué yo no daba la cara, qué quería ocultar, además de mi inseguridad. ¿Inseguridad? No, miedo. Los caminos que ella había tenido que seguir para acercarse eran dignos del mejor periodismo de investigación. Y citó: el corazón es un cazador solitario. No crean que no tiene sus complicaciones encarnar otra personalidad. ¿Cuál?, le preguntó el presentador. A riesgo de revelar mi carácter lo diré, dijo la chica: Catwoman. ¡Ajá!, exclamó el psicólogo, pero no le permitieron argumentar esa interjección. ¿Catwoman? ¿Es que a él le gustan ese tipo de mujeres? No obstante, no era esa la verdadera exclusiva. Traía papeles cosidos con grapas y adornados en su parte superior con un enorme clip rosa. De ellos extrajo los pormenores de la verdadera exclusiva. Una impresora los había escupido esa misma tarde, porque ella estaba dispuesta —entonó la promesa como si fuera una amenaza— a poner sobre la mesa las verdades necesarias para destapar mis mentiras. Que surgieran a la vista de todos. Me ha acosado, y no vean de qué modo, reveló. Si no hubiese habido entre él y yo no sé cuántos kilómetros de hilo óptico, probablemente me hubiera perseguido hasta cobrarme como una pieza. Les juro que tuve que apagar la pantalla, por miedo a que sus manos la atravesaran y me atrapasen. Y detrás de ellas su cabeza, con una anilla atravesándole el tabique nasal. ¿Inseguro? —formuló la pregunta para sí misma, como si el plató estuviese vacío—: al contrario. Es un ser bestial. Deberían contratarle de extra en *Parque Jurásico*.

El resto de los presentes la miraba como si estuviese desnudándose en una cabina, pero ella no podía repetir fielmente lo que yo había dicho literalmente. Era demasiado primario. ¿Estábamos ya en horario no apto para los niños? Bien, al menos Cenicienta pudo librarse de la vergüenza de ver cómo se transformaba el mundo después de las doce. No como una, dijo, refiriéndose a ella misma. Una tiene que estar al pie del cañón, como Cristo en el huerto de los olivos. Sin embargo, es de agradecer que la humanidad vomite a partir de esa hora, porque de otra forma habría que adelantar muchos espacios televisivos a la franja del telediario.

El público asistente, sumado a las legiones de fantasmas que la veíamos en la pantalla, no estábamos para mucha deontología profesional, así que el presentador tuvo que meter baza. Le preguntó si se trataba de violencia machista. ¿La había yo maltratado? ¿Perseguido? ¿Existía algún otro crimen en boga? Pero no, nadie había visto su sombra doliente cruzando las calles regadas y vacías. Catwoman negó tales suposiciones, aunque estuvo degustándolas durante unos instantes, como si enhebrasen una verdadera historia de amor. De pronto, sorprendió a todo el mundo al declarar que no creía que yo tuviese la imaginación suficiente para pasar a la acción. Comparecía en *Tu espejo* no para comprometerme, sino para estar a salvo. Aquel plató le inspiraba seguridad. ¿Cómo que seguridad?, le preguntó el presentador. ¿He dicho seguridad? No, es algo más parecido a la salvación, matizó ella.

No sé cómo, me reconoció. Yo ya sabía quién era él. Firmaba solo con la letra A. Sin embargo, noté un cambio a lo largo de la conversación. Llevábamos un buen rato intercambiando mensajes cuando preguntó: ¿Quién coño es A? ¿No eres tú?, quise saber. Eso depende de cuántas tetas tengas, dijo. Catwoman le quitó el clip a los papeles y empezó a leer. Pregunta: ¿Y si tuviera dos? Entonces me gustaría saber lo cerca que estás. Pero tú estás casado, ¿no? ¿Quién te lo ha dicho? Lo sabe todo el mundo. Todo el mundo te conoce. ¿A mí? Por eso estás al otro lado de esta línea, porque no puedes salir a la calle sin que la gente llame a los programas de televisión para decir que te ha visto. ¿Y tú quién eres? Otra que te busca. Bien, da igual, llevo dieciocho cervezas.

¿Problemas con el alcohol? Los ojos de los habituales del programa, del público, del presentador, del psicólogo, del *total share* se hicieron la misma pregunta, otra pregunta ya contestada desde antes de que los primeros tramperos de Kentucky inventasen el *bourbon*.

¿Cuántas más piensas beberte esta noche?, le pregunté. Otras dieciocho, a tu salud, zorra. ¿Podemos vernos? ¿Eso quién se lo pregunta a quién?, inquirió, escandalizada, una de aquellas dos damas que compartían el fondo de armario. Yo, dijo Catwoman, para ganar tiempo. Como habréis supuesto, tuve que tragarme los insultos, pero recibí mi recompensa. Claro, ¿tienes farlopa?, dijo él. Los ojos se abrieron otra vez, y se oyó ese chirrido que provoca la comprensión de las evidencias un segundo antes de que lo sean. Yo pongo los condones, ¿o eres de esas que solo quieren hacérselo virtualmente? ¿En un hotel?, pregunté. ¿Hotel? ¿No te gustan los coches? ¿Y te imaginas qué pasaría si los *paparazzi* nos hacen una foto en un coche? Yo seguía ganando tiempo. ¿Que se enteraría mi mujer? Solo hace un año que me casé, y mi mujer se traga todos esos programas, ¿por qué crees que estoy tan solo, en mitad de la noche? Seguro que me ve, y es pronto para decirle que lo nuestro no merecía la pena. La foto también podría tomártela yo, le dije. Empezaba a sentir una enorme curiosidad por saber adónde sería capaz de llegar. ¿Tú o él?, terció el presentador. Ambos. Nuestra profesión también necesita —era una divagación, pero Catwoman se mostró firme— bajar a la calle. Las tentaciones de la antropología, dijo el psicólogo, pero alguien, desde las gradas del público, lo hizo callar. ¿Y entonces?, preguntó el tipo de la corbata amarilla. No puedo decirlo. Lo tengo aquí copiado, dijo refiriéndose a las páginas de impresora, pero es demasiado vulgar. ¿Es que tratas de protegerlo?, preguntó una de las dos señoras, con la viva pretensión de arrancar algo para las portadas de las revistas. Trato de protegerme a mí, dijo Catwoman, clavando los ojos en la cámara como si la aventura que relataba, en algún momento, tuviese que ser velada por el pudor. Después aclaró: Prefiero que nadie se imagine la escena. Y concluyó: Al final, ese hombre solo dijo una frase merecedora de lo que la gente espera de él. ¿Y puede saberse qué espera la gente de él?, preguntó uno de los electrones del helio. ¿No se supone que es escritor?, planteó Catwoman. Justo cuando mostré mis dudas sobre acudir o no a la cita, me explicó dónde estaba aparcado su coche. ¿Acaso quieres que sea yo la que vaya hasta tu coche?, le pregunté, así que se ofreció a recogerme donde le dijera. No creo que sea de esas personas que entran desde la calle, cruzan el salón y se sientan a ver estos programas, pero quizá su mujer me esté viendo ahora mismo, y pido disculpas.

¿Puedes repetir esas supuestas palabras de escritor que te dijo?, insistió el presentador. Catwoman consultó sus papeles. A todas luces, y por primera vez, había llegado a un punto en el que necesitaba literalidad.

Me dijo: Tengo en la entrepierna un escalofrío como una cordillera. Y después añadió: ¿A que te gusta, zorra?

¿Entonces no...?, inquirió el de la corbata amarilla... Me dio miedo, contestó ella, mucho miedo. Realmente parecía un borracho, o algo peor, lo cual contradice lo poco que sabemos de él. Sin embargo, me fatiga muchísimo que lo que sabemos de él lo digamos siempre nosotros, no él. Llevo hablando tres días con él a través de un foro y, de pronto, me sale una especie de míster Hyde, por así decirlo, ¿entendéis? ¿Mr. Hyde?, pensé. Tenía gracia que se le hubiese ocurrido a ella, pues me di cuenta de que, en efecto, llevaba en aquel cuarto de hostal, frente a la televisión, una vida de Mr. Hyde.

¿Entonces no hubo nada más?, volvió a insistir el tipo de la corbata de purpurina.

Catwoman estiró el bracito y sacó las uñas para tomar el vaso de algo sin alcohol que tenía en la mesita. Tomó un sorbo, volvió a dejar el vaso y reveló:

Claro que fui a encontrarme con él. Soy una profesional.

Un único suspiro sin escapatoria recorrió las gargantas de los asistentes.

¿No le diste una dirección falsa?, preguntó el de la corbata apabullante.

¿Estás segura de que era él?, preguntó uno de los electrones.

No lo sé.

Naturalmente que era él, por fin se quita la careta, dijo el otro electrón. Yo había ya renunciado a distinguir a las dos señoras. Me enredaba en la impostada credibilidad que se pasaban una a la otra, mientras hurgaban con sus varas en el caldero y sacaban cosas como aquello de la fama literaria. Debía apresurarme a conseguirla, porque temía desde hacía años al Alzheimer precoz que dormía en la rama paterna de mi familia. Miraba hacia ese poniente cada vez que no podía terminar una frase.

Ahora solo creía en la posteridad de otros. Había perdido la capacidad de ambicionar la mía, pero aquella señora no se refería a mis ejercicios de inmortalidad, sino a la fama que compra espacios en los periódicos y la televisión, aquélla en la que otros invierten dinero a cambio de que digas, cuando te entrevistan, que no te interesa ni el dinero ni el presente, y que solo escribes para las generaciones futuras. En mi juventud había creído que ambas eran lo mismo, que una noche especialmente inspirada siempre aparecía en los periódicos, que había un ángel vigilando tus adjetivos y haciendo estimación de tus metáforas, de forma que si metías al genio en su botella alguien, a la mañana siguiente, te abriría la puerta de casa y te trataría como yo trataba a Stevenson. Yo no sabía cuántos ejemplares vendía *La playa de Falesá*, pero estaba seguro de que aquellas señoras que increpaban mi ansia de fama no la llevaban en su neceser.

No obstante, esa era la gente que me había convertido en un maqui. La vida de maqui no estaba mal. Llevaba a mis espaldas una temporada de aventura y lirismo y, aunque llegó un momento en que pensé que acabaría como el durmiente de Rimbaud, con una sonrisa fragante en los labios y un tiro en la cabeza, iba recuperando parte de lo que mis personajes buscaban en mis narraciones.

La aparición de aquel hotentote del botellín de cerveza, improvisado con dos trazos detrás de una esquina, ponía un broche de oro. Se cruzaba en mi atribuida existencia y despistaba a todo el mundo. Cierto que también suponía ciertas desventajas: anulaba lo más encantador de mi personalidad y me atribuía lo peor de la suya. Aquella fiera asustadiza, Catwoman, lo había complicado todo, pero solo yo era el responsable. Podía convertirme en el tío del botellín, que era quien Catwoman creía que yo era en realidad, y presentarme como una sombra entre los arriates de su casa, aunque lo más probable es que Catwoman viviera en los galpones de la propia cadena televisiva.

—¿Seguro que no has hecho nada de eso? —preguntó mi esposa, todavía al teléfono.

—Eso debes decirlo tú, me conoces mejor. Creo que solo he puesto los espejos para que lo parezca.

—Bien, me voy a la cama. Me agota esa vida tan intensa que llevas.

—Esperaba que te quedaras y me contases mañana en qué termina la caza del zorro.

Los ojos de Catwoman me inquietaban. Eran de ese tipo de ojos frente a los que un seductor nunca sabe cómo va a terminar la noche. Demasiado penetrantes para sentir el miedo que confesaban, y demasiado descarados para ir por ahí sin una pistola en la liga. Había escapado por los pelos de una cita a ciegas nada recomendable, pero el platillo volante de mi infancia atravesaba su profundo azul como si ella supiese a donde iba. Eso me pareció lo más estremecedor del día. Debajo de su media sonrisa apareció un pie de imagen, de derecha a izquierda, con la siguiente revelación: *Nuestra compañera, Fulanita la Husmeadora, revelará en unos instantes que Alonso Guerrero está escondido en el Hostal Nuria de Madrid.*

¿Escondido? No quise esperar a que lo revelase. Apagué la luz de la mesilla y me asomé a la calle. Las letras verdes con el nombre del hotel bajaban como títulos de crédito sobre los balcones del primer piso, que era donde yo me encontraba. Me costó leer el cartel luminoso. Lo tenía justo sobre la frente. ¿Cómo lo han sabido —me pregunté—, y cuánto tiempo me queda? Miré abajo, a la acera. Estaba desierta a aquellas horas, y yo en pijama, con la maleta abierta sobre el otro catre. Casi parecía una escena hogareña, excepto por los pasos de teatro que pintaba en el suelo la luz verde, destinados a alguien que vendría a cerrar la puerta sobre algo inaudito.

Me vestí con rapidez. Lo metí todo en la maleta y bajé a recepción. No había nadie, aunque sonaba la televisión en la pieza que había al otro lado del mostrador. Me escurrí hacia la salida sin detenerme. Volvería para saldar la cuenta antes de que reparasen en que me había ido. El sueño de todo hombre recto. La calle estaba tranquila, como si fuera viernes santo. Sin embargo, ¿adónde quería ir? Los reveses del destino siempre me sorprendían sin plan alternativo, así que torcí a la derecha, hacia Gran Vía. Todo el mundo es irreconocible en Gran Vía. Contaba con eso. Los que recorren entre fogonazos las marquesinas de los cines y los que llevamos la identidad sobre las ruedas de una maleta, todos formamos parte de algo enorme e indescifrable. Además, una multitud nunca se extraña de nada. Atravesé varias bocacalles hasta desembocar en Gran Vía y tomé un taxi a la altura del edificio de Telefónica. Los noctámbulos cruzaban los semáforos y tropezaban en los escaparates como bandadas de estorninos. El sitio a donde iba resultó ser la calle de Juanelo. Hostal Apolo, le indiqué al conductor, leyéndolo en la tarjeta donde Laura había escrito el nombre de su amiga: Visitación. Cuando era niño había oído ese nombre a menudo.

La calle de Juanelo era estrecha y estaba acristalada de bazares chinos. En algunos escaparates, conforme pasaba con el taxi, vi las primeras televisiones de plasma, enormes y negras como precipicios alquitranados. Las más grandes estaban encendidas y, en ellas, los periodistas aparecían ateridos frente a las cámaras, en la puerta del Hostal Nuria. Una pareja de mujeres fue a interponerse entre el taxi y el escaparate, quitándome la visión de los pies de imagen. Le dije al taxista que se detuviera y me planté junto a ellas. Llevaban un niño de la mano, de unos seis años, metido en una parca con capucha. En el plató seguían los mismos comentaristas, y las cuestiones candentes se amontonaban como si alguien hubiese echado arena en la maquinaria. El cuadradito con el platillo volante había desaparecido. ¿Es A... un adicto a las drogas? ¿Tiene problemas con la bebida? ¿Intento de suicidio? ¿Divorcio? Su esposa aún no se ha pronunciado. En otro cuadro, con el propósito de contestar a estas preguntas, una cámara entraba en el hostal Nuria y arrinconaba al recepcionista que, negando con la cabeza, explicaba, supuse, pues a través del escaparate no se oía nada, que ni podía revelar el número de mi habitación ni subir con ellos. Todas las conjeturas indicaban que yo estaba dormido. Bien, estoy dormido, pensé. Miré a los dos confines de la calle de Juanelo y a las caras de las dos mujeres frente al escaparate.

—¿Qué es lo que dicen? —les pregunté.

—Que ese tío se pone hasta el culo de droga —contestó una de ellas, sin mirarme.

—¿Quién lo hubiera pensado? —dije, con un tono escéptico en el que esperaba que reparasen, pues me resultaba bien extraño que ellas oyeran lo que escapaba a mis oídos.

—Toda esa gente se droga —dijo—, o se divorcia.

—O se suicida —recalqué, siguiendo la lógica de la secuencia.

—Pues a mí me cae bien —dijo la otra mujer.

—Yo creo que no es trigo limpio —la contradijo la primera—. Parece de fiar, pero dicen que no se habla ni con su padre.

Supuse que eran madre e hija. Ambas compartían la postura del cuerpo, el rictus de la boca, más que un parecido en el semblante. La hija cogió en brazos al niño, que seguía las imágenes de la tele como un girasol.

Un chino salió de la tienda de decomisos. Llevaba al cuello un cintillo donde ponía Yamaha. Iba sudoroso y parecía que usaba la cinta para tapar las branquias por las que respiraba. En un perfecto castellano dijo:

—Váyanse a la cama. Lo van a coger.

—¿A quién? —preguntó la mujer joven.

El chino me recorrió con la mirada, volvió los ojos a la televisión y dijo:

—A usted. ¿Quiere un coche de alquiler, con chófer? El chófer es primo mío.

—Ya tengo uno —dije, señalando al taxi en marcha que esperaba en mitad de la calle.

—Ese no le servirá —dijo el chino—. Mañana estará hablando en el mismo programa.

Dio dos vueltas de llave y se alejó calle abajo. Pagué al taxista y le dije que se marchara. El chirrido de las ruedas de la maleta me pareció menos revelador que un taxi parado junto a tres figuras pegadas a una televisión y, pese a que todo ocurría en aquella pantalla como una lejana premonición, me di prisa por llegar al Apolo.

Una chica de unos treinta y tantos me esperaba en la puerta. Parecía que acabara de llegar de una fiesta, con los ojos pintados, verdes y brillantes. Le habían recogido el pelo con una máquina de algodón de azúcar, y eso alentaba la media sonrisa que le cruzaba la cara. Me dijo:

—Laura acaba de llamarme. Tengo una habitación disponible. No te registres.

—¿Eres Visitación?

—Hay que separarte de esa maleta. Hace más ruido que el chiflo de un afilador.

Me llevó a un cuarto bien arreglado que tenía una tele pequeña encima de un panel giratorio. Me dio las llaves y añadió:

—Te dejo solo. Si me necesitas estoy abajo, llama con el supletorio. No te preocupes por nada, aquí no te encontrarán. Ponte cómodo y tranquilízate: hacemos una rebaja suculenta a los proscritos de renombre.

Me lancé hacia el mando de la tele. El acto era como pregonar una vergüenza inconfesable. Media España lo consideraba solo un automatismo; sin embargo, mientras la gente se zambullía en aquella psicodelia del aburrimiento, mi sombra cruzaba maniatada y camino de un triste plató, como en aquellos versos de Anna Ajmátova. De improviso otro hombre, seguido de un cámara, entró en el hostal Nuria exhibiendo un micrófono del tamaño de una veleta y narrando lo que todos estábamos viendo. Incapaz de deshacerse de los *paparazzi* de la competencia, indagó en recepción con las mismas preguntas y los mismos encuadres que la cámara anterior. Seguidamente, informó de que la policía aún no había hecho acto de presencia. Solo quedaba un último plano general del misterio: la fachada con todas sus puertas cerradas y todos sus vecinos dormidos, de modo que se decidió por subir al primer piso. Vi el inicio de la escalera, los pies de aquel tétrico narrador con el micrófono gigantesco, subiendo hasta el descansillo con la maceta. Vi mi número de habitación, la grieta junto al quicio, el cartelito que había dejado colgando del pomo y la raspadura sobre la mirilla, hecha con las navajas de los amantes que habían estado aguardando allí. Aquella cámara me hizo olvidar que nadie de los que la precedían, la portaban o la seguían tenía permiso para abrir mi puerta. No eran la policía, ni el pobre alojado tras ella había cometido ningún crimen.

No obstante, alguien había declarado lo contrario. Catwoman, por supuesto, pensé. La gravedad de su rostro, enmarcada en la ventanita de la parte superior, contemplaba casi con descuido la subida de aquella riada de gente hasta la habitación donde yo dormía. Catwoman tenía uno de esos rostros que parecen sinceros en el minuto de máxima audiencia. ¿Estás segura de lo que dices?, le preguntaron. Sí, contestó ella, cómo no voy a estarlo. O sea, que intentó abusar de ti. Alguien, de inmediato, se puso a trabajar con aquellos mimbres y en un minuto había sacado las conclusiones. Abajo, en el pie de imagen, apareció la nota: *Nuestra compañera sale ilesa de un intento de violación…* Acudiste a la cita y te persiguió. Estaba borracho, dijo Catwoman. ¿Le viste bien la cara? No hacía falta, solo él podía estar en aquel lugar y a aquella hora. ¿Y ahora qué vas a hacer? Confío en la justicia. ¿Has presentado la demanda? No. ¿Por qué no? Algo no concuerda en este asunto. No parece ese tipo de hombre, aunque no me explico el cambio. Nos tenía engañados a todos. Incluso a sus padres, dijo el de la corbata amarilla. Si no, por qué no se ha comunicado con ellos. ¿Cómo sabes eso?, preguntó el presentador. Tengo mis informadores. ¿Y qué han hecho tus informadores, pincharles el teléfono? No hay necesidad de hacer eso y, por favor, no sigas indagando o va a parecer que acuso a… ¿Quizá a tu cuñado, el que trabaja en Telefónica?, remachó una de las dos señoras.

El periodista seguía frente a mi habitación sin atreverse a llamar. Finalmente lo hizo. Tres veces. Me pareció oír, en el interior de aquel cuarto de hotel del que había escapado, los lamentos por la muerte del rey Duncan. El recepcionista amenazó desde el rellano con que iba a llamar a la policía si no dejaban en paz a quien fuese. Una chica rubia salió al pasillo metida en un delicioso albornoz, y encantada de participar en aquella cacería sin sangre. Quizá así tengamos algunas respuestas, recalcó el maniquí de la corbata amarilla. No pude imaginar qué había querido decir. Las interpretaciones eran infinitas, pero todo apuntaba a un momento tan importante como el de Carter en la apertura de la tumba de Tutankamón. De pronto, la conexión se cortó, menos mal que el presentador consoló a todo el mundo anunciando que volverían al hotel en cuanto hubiera algo que contar.

No había nada que contar. Nada real, nada que los sedentarios, los convalecientes y los morbosos pudiesen incorporar a su vida. Ni ellos ni yo. La corriente de pormenores que narraba todo aquello se estrechaba en una vocecita que cruzaba la calle y subía al regazo de gente achantada en los tresillos. Eso era todo. Lo estarían viendo Bowman y Laura, quizá mi esposa, si aún no se había acostado, y era capaz de segregar la realidad de la ficción. También mis padres, estremecidos por imágenes que conocían de sobra: aquel platillo volante, los cromos del álbum Maga. Para ellos eran otra cosa: motivos que seguramente reconocieran, ajenos, fugitivos, pertenencias apenas inadvertidas de su hijo. Aquel cuaderno de dibujo les habría dado que pensar.

La azafata del programa iba pasando las páginas. Cuando la cámara se alejaba, la joven aparecía con una luz alegre en los ojos y una canción triste en la curva de los labios. Era cálida y lejana como una Ginebra prerrafaelista. Depositaba su melena sobre aquellas llanuras llenas de acacias que yo pintaba cuando hibernaba entre dos largos periodos de lectura, o dos amores, o entre una misión Apolo y otra, y me aclaraba un camino perdido hacía tantos años que ahora me parecía otra vida. Cuando llegó al dibujo de una portada de *Max Audaz*, hecho con papel carbón, aparecieron notas manuscritas en los márgenes. Sabía que mis primeros ejercicios literarios eran de esa época. Párrafos sacados de inspiraciones momentáneas y palabras buscadas en el diccionario. Como todo comienzo, era un comienzo esteticista. ¿Podríamos acercar la cámara?, propuso el presentador. Entonces pude leer lo que aquellas uñas negras tapaban. *Amo a Tere.* ¿Tere? ¿Es eso lo que escribía a los siete años? Tenía que escribirlo, porque la recordaba como si me hubiese casado con ella. Una muchacha que vivía a la vuelta de la esquina, lo bastante cerca para que mi amor no muriese de desesperanza, y lo suficientemente lejos para que no cayese en la rutina. Cuántas veces quise embarcarla conmigo en el Júpiter 2, y que fuera la soledad del cosmos la que nos hiciera descubrir el amor, como a Dafnis y Cloe. La perdí, sin embargo, muy pronto, lo cual me unió más a mi mejor amigo, preso, igual que yo, en una incesante convalecencia por aquel corazón que no daba trazas de entregarse.

¿Alguien la conoce?, preguntó uno de los dos electrones del helio, al comprobar que la respuesta no aparecía en los folios color pastel que les habían rellenado los becarios del programa. Debe de ser su *Rosebud*, dijo el sepulcro blanqueado de la corbata amarilla. ¿Alguien sabe el apellido?, inquirió el presentador, aunque parecía una pregunta dirigida a aquellos que oía por el pinganillo. En efecto, era mi Rosebud, pero ni siquiera yo sabía su apellido. No hubiera podido buscarla, seguir ninguna pista. Solo Tere. Su recuerdo, durante decenios, se había mantenido fuera del tiempo. No tenía continuación en la realidad. Era un cajón cerrado con una llave mágica. En él había guardado aquel álbum que necesitaba recuperar a toda costa. Catwoman le lanzaba miradas untuosas, como si tuviera mayor valor para ella que para mí, como si los duendes esparcidos por sus páginas colocaran anillos en sus dedos, y no en los míos. Era suyo, ella lo había tomado de la encrucijada en que yo me había perdido. A sus ojos era una pertenencia incomunicable, de esas que se roban para el disfrute íntimo. Si lo había llevado allí, ante todo el mundo, era para quedárselo.

Desde que mi odisea comenzara, no me había resultado difícil ser impermeable a los comentarios de aquella gente. Ninguno de ellos se había acercado a la verdad. Otra cuestión era aceptar que las marionetas manejaran los hilos. El ritmo con que pasaban los dibujos me pareció vertiginoso. Mi infancia se iba ante mis ojos. Catwoman no comentó nada, pero lo sabía. Bella sin alma —me vino a la mente, recordando una canción de Riccardo Cocciante—. Puede que alguna de las cosas que temes se haga realidad.

Mientras tanto, en Fuencarral todo se iba convirtiendo en un allanamiento de morada. Yo no estaba allí, pero ellos no lo sabían. Los dibujos de mi bloc desaparecieron, junto con el rostro ojival y prometedor de Catwoman, y mostraron la ventana de mi habitación en el hostal Nuria, como si tras ella aguardase alguien tentado de encaramarse en la cornisa. Todos los invitados se removieron en sus butacones, pues un contorno en los cristales del primer piso, entrevisto desde una tienda del mercado de Fuencarral que habían abierto justo enfrente, para realizar la toma, apuntaba la evidencia de que ese contorno fuera el mío. ¿La evidencia? No, la exclusiva. El tipo con más razones para ser perseguido, y con más razones para huir de esa persecución, igual que un cisne moribundo, había sido localizado. Lo siguiente era ofrecer aquella imagen *urbi et orbe*, con toda su singularidad. No se apreciaban los visos de ninguna aurora boreal en la habitación, lo que indicaba que no estaba puesta la tele. Era raro, sin duda. La figura, con el rostro hundido en las tinieblas, miraba fuera, directamente a la cámara que lo enfocaba. Un hombre eclipsado en un punto lejano que podría ser la ansiada fama literaria, quién sabe. Todo parecía menesterosamente trágico, orquestado por algo mucho más grande que aquella cena de bocadillo y aquel mirar a la calle. El plató en que se sentaba Catwoman intentaba mantener la mirada de la figura de la ventana, mantenerla y descifrarla.

La escena merecía un cigarro cuya luminaria hiciera más profundos aquellos ojos, pero yo sabía que la figura no tenía ojos, ni cabeza. Era una de mis camisas favoritas, de tonos claros, con rayas azules, casi heráldicas, que me había dejado colgada de una percha en la contraventana. El cartel verde de la pensión iluminaba cada cinco segundos aquel fantasma de navío. Busqué en la maleta. Sin lugar a dudas, era mi camisa. ¿Nos ha descubierto?, temieron los reporteros. Hasta yo mismo me lo pregunté. Ahí dentro hay alguien, dijeron, y no está dormido, sino de pie. Durante unos minutos, el espantajo los tuvo ocupados, a ellos y a los cámaras que iban subiendo a la tienda del mercado de Fuencarral para sumarse a aquella multitudinaria fe en los *poltergeist*, y a los televidentes, inducidos a pensar que alguien que se mantiene tan caviloso sobre una cornisa ha de tener algo que arrojar al fondo de la memoria. Tres canales emitían lo mismo: nada, una sombra, una ficción, pero yo seguía a la espera del final, temiendo que todo se alargara hasta que el amanecer iluminase el espantapájaros y el erial que protegía. Me encendí otro cigarro. Mi vida era una luz apagada en una habitación de hotel, y una ventana entreabierta como el telón de un guiñol.

De improviso, el teléfono sonó en el hotel de Fuencarral. Lo oyeron los reporteros que estaban a la puerta, el recepcionista, los tertulianos del programa. Lo oyeron los vecinos acodados en los balcones, los que habían bajado y empezaban a agolparse en torno a las unidades móviles. Lo oyó buena parte de mi generación, la más libre, culta y consciente de su papel de toda la era del pop. Lo oyó el país entero, porque sonó diez o doce veces. ¿No lo coge?, preguntó el soplamocos de la corbata amarilla. Ni siquiera se mueve, dijo uno de los electrones del helio, viendo que la figura de la ventana parecía otear el mar desde los miradores de Manderley. El teléfono sonó durante una cuenta atrás, y los que estaban en el pasillo del primer piso realizaron una conexión ya impostergable. ¿Oyen cómo suena el teléfono?, dijo el del micrófono gigantesco, ¿no deberíamos entrar para ver si existe algún problema? Quizá nuestro hombre se haya desmayado, dijo el psicólogo, y por eso no lo coge. Quizá ni se le ha pasado por la cabeza descolgarlo, enfatizó Catwoman, sin atreverse a adelantar las conclusiones de esa actitud. Después volvió a agazaparse en su silencio, que era un modo de asentir a todo.

Subieron al recepcionista, con su manojo de llaves y la cara de no saber si las opciones eran siquiera opciones. El enfoque volvió al exterior. Al menos, desde fuera era más fácil imaginar las cosas. La habitación a oscuras se iluminó de pronto con la luz del pasillo. Encendieron los apliques de las mesillas y apareció la camisa colgada del frailero. Todos miraron al suelo, bajo la cama. Entraron en el servicio y, finalmente, el más osado descolgó la camisa, abrió la ventana y saludó.

¿Eso es todo?, parecían preguntarse los que más esperanza habían puesto en lo impensable. Sin embargo, resultó evidente que eso era todo. Un nido vacío, un pequeño desastre mediático que solo podía subsanarse con un exceso de invención, de narración. ¿Entonces, dónde está?, preguntó el hombre del micrófono. Junto a él apareció el recepcionista. Mi existencia diaria se resumía en cuatro palabras cruzadas con un recepcionista. Este personaje se encogió de hombros. ¿Pero ha pagado el hotel? El hombrecillo negó con la cabeza. Entonces volverá, como MacArthur, dijo el psicólogo. Si no, las deudas darán con sus huesos en la cárcel. ¿Qué deudas?, preguntó el recepcionista. Las que ha contraído con este hotel, ¿no es así? ¿Acaso el hotel no va a demandarlo? El hombrecillo asintió esta vez. ¿O acaso no ha dormido aquí? Sí, dijo el recepcionista. ¿Cuántas noches? Varias, había perdido la cuenta. ¿Podría hacernos el favor de consultarlo en el ordenador? La gente desearía saberlo. El carácter, dijo el psicólogo, es una cuestión cuantitativa. Un hombre que calla tantas cosas nunca contraerá deudas insignificantes, etc.

El hombrecillo rehusó hacer la consulta, sin dar más explicaciones. Aquel manojo de llaves pesaba en su conciencia. Le arrebató mi camisa al asistente, con el claro propósito de bajarla a recepción. Puede volver en cualquier momento, deberían esperarlo, comentó alguien en el plató. La propuesta era lógica. Sin embargo, la maleta había desaparecido. ¿Se había dejado algo más en la huida? Abrieron el ropero. Encendieron la televisión y, como era de esperar, la pantalla mostró las mismas cabezas parlantes que preguntaban a Catwoman. Es posible que nos esté viendo en estos instantes, dedujo el presentador. ¿Pero desde dónde?, preguntó alguien. Catwoman estaba segura de ello, a juzgar por el descaro con que su silencio acariciaba las connotaciones. Se afilaba las uñas en los entorchados del gran cojín donde Jacques Tourneur la había sentado. Yo había decidido, hacía muchos años, no volver a ver *La mujer pantera*. Ni siquiera Bowman me había convencido de romper esa determinación. De niño, me daban miedo los ojos de Simone Simon. Catwoman había lanzado sus mentiras, y se sentaba a esperar a que hicieran el efecto de cargas de profundidad. Me buscaba, como el ojo de Mordor. Si todo aquello se tranquilizaba no estaría de más hacerle una visita y recuperar mi bloc infantil. Que me explicara qué había visto en él, qué significaba para ella aquel amarillo que un niño inseguro había lanzado al espacio profundo, en una nave de color tan liviano.

Por fin, todo pareció disiparse en aquella habitación vacía. Los reporteros desecharon mis últimos vestigios de refugiado y tampoco consiguieron sacarle nada al recepcionista. Entonces la cámara volvió a las láminas del álbum. Alguien debería decirles que ese cuaderno no les pertenece, pensé, pero sabía que tales reclamaciones casi nunca encuentran eco en el periodismo de investigación y, por una vez, no me importó. Sus páginas parecían pintadas el segundo día de la creación, con las primeras luces. Contemplarlas desamparadas frente a aquellos indeseables tenía el valor de una prueba de maduración. Había escrito mucho de mí mismo después de ese álbum pintarrajeado, pero todo estaba en él, como el croquis de un soñador. Las infancias perdidas en carpetas, álbumes, forros de armarios y cajones siempre han dejado señales para el futuro, apuntes para los que el hombre del futuro siempre será un analfabeto.

Me detuve a mirar por placer el amarillo enjaulado en el platillo, en las estrellas, los desgarrones de profundo azul introspectivo, pintado con parte de la oscuridad de noches en las que mi padre me quitaba los plomos eléctricos para obligarme a dormir, y yo hacía una lámpara de aceite y prendía fuego al algodón para seguir escribiendo. Aquel fue un primer gesto de rebeldía. Catwoman intuía lo que el álbum significaba para mí, y sabía lo que ella estaba haciendo. Ella no miraba el contenido del álbum, solo escuchaba las mamarrachadas de los invitados. Quizá tuviera dibujos parecidos en dobles fondos y cajas olvidadas. Era su forma de señalar hacia otra parte, de librarse de culpa. Que sean los demás los que divaguen sobre el tema, como si la exhibición de aquel álbum pudiera ser compartida, igual que la culpabilidad.

Cierto que yo lo había dejado atrás, pero no para ella. Era un robo, aunque entendí que ella se consideraba una especie de custodio. Me lo devolvería, siempre que yo fuera a por él. Iría, desde luego. Al menos, eso pensaba a las dos de la madrugada de aquel ocho de diciembre, pero la situación cambió pronto, y no gracias a mi iniciativa. Mi iniciativa hacía tiempo que cruzaba, en plena noche, un gran río, perseguida por sus propios temores. No, fue gracias a un simple mensajero. ¿Simple? Debía de ser el enviado de la reina de Saba, porque le dieron entrada al plató con su alfombra roja y su pie de pantalla, esta vez casi inmediato: *Acaba de llegar un mensaje del hombre más buscado. ¿Contendrá las respuestas que todos esperamos?*

Solo yo supe que se trataba de otro montaje, otro de esos elementos de ficción pura que mantienen a la gente insomne a las dos de la madrugada. Eso solo lo habían conseguido Alexander Dumas o Wilkie Collins. Ahora todo era más ridículo. ¿Qué respuestas eran esas? ¿La de por qué estaba reñido con mi padre? Todo vendría al cabo de diez minutos de publicidad, durante los cuales eché un vistazo a las hipótesis posibles de lo que me esperaba. Quité el sonido de la televisión, así que cuando vi entrar a un fulano uniformado como un guardia jurado, con una carta en la mano, me ocurrió lo que a todo el que espera algo de la televisión: pensar que me había perdido algo importante. Pero no, el tipo que había entrado en moto hasta el plató, para convencer a la opinión pública de que era lo que realmente parecía, la aparcó, se apeó y puso, en la bandeja que una chica bastante guapa y rubia le tendió, un sobre con más visados que el pasaporte de Jasón. Yo lo había enviado, así que todos lo miraban como si la cadena televisiva a que iba dirigida fuese la única destinataria.

—Es evidente que nuestro hombre no está lejos, si lo ha enviado por mensajero —dijo el homúnculo de la corbata amarilla. Hábil deducción, aunque bastante fácil. ¿No hay un puerto deportivo, con yates, en Madrid?, fue lo único que le faltó preguntar. Todo estaba tan preparado como las flores en los entierros.

—¿Podría aclarar esta duda el mensajero? —dijo inmediatamente el presentador, una vez que el sobre llegó a sus manos—: ¿Dónde ha recogido este mensaje?

El mensajero negó con la cabeza, aunque sin moverse. Miraba subrepticiamente la moto, apoyada en mitad del plató sobre su pata de cabra.

—¿Le ha pedido el remitente que no lo haga? —preguntó el presentador.

El mensajero confirmó que así era. Entonces, el presentador se tocó el pinganillo de la oreja y volvió a preguntar:

—¿Es esta la persona que le ha entregado el sobre?

En la pantalla que tenía detrás apareció el hombre risueño de las gafas pintadas con que me habían visto en Atocha. Era la foto falsa que circulaba por la red. No, contestó el mensajero. Inmediatamente apareció mi foto, y el mensajero afirmó que ese sí era. Entonces, el sobre fue llevado al atril, y colocado delante del álbum. El mensajero fue despedido con todos los honores. Ahora te pagarán tus treinta monedas, pensé. Catwoman no perdía detalle, y me pregunté si era ella la urdidora de todo aquello. ¿Ella y quién más? Yo mismo era quien más preguntas se hacía. Eso me impuso otra vez la idea de que iba al rebufo de maquinaciones ajenas, igual que un deudo detrás de un ataúd.

—¿Nadie va a mirar qué contiene ese sobre? —preguntó Catwoman. Entonces entró la azafata que había traído al mensajero, y abrió el sobre muy pormenorizadamente, como si explicara un ejercicio de papiroflexia. Después se lo dio al presentador, que lo leyó en puridad, como hacen los jueces americanos con las sentencias del jurado.

—Hay una dirección —dijo el tipo de la corbata amarilla, con un hilo de voz.

—Vamos, léelo ya —urgió una de las dos señoras. El presentador adoptó una pose solemne y dijo:

—Devuélvanme inmediatamente mi cuaderno. No les pertenece. Nada más.

—¿Es lo que dice: nada más?

—Quiero decir que no dice nada más.

—¿No está firmado? —preguntó Catwoman.

—No.

—¿Cómo sabemos que esa nota es suya? —dijo Catwoman.

Al contrario, sabéis muy bien que no es mía, pensé. Lo sabéis todo, como en *El show de Truman*. Había visto esa película, dos años antes, en un cine de Callao. Todo lo que me ocurría me recordaba a aquel tipo, Truman, que despertaba cada mañana diciendo tonterías sin sentido, solo porque lo filmaban. Bowman opinaba que Truman sabía que era vigilado, pero soportaba mejor la falta de intimidad que el exceso de libertad. ¿Qué podría hacer con ella, con su libertad, un pájaro de jaula?, se preguntaba Bowman. Es un tipo mediocre, sin vida propia, como todos nosotros… Va en el coche divagando, como Zaratustra. Aunque leyera toda la biblioteca de Steiner, no se le quedaría grabado en la cabeza nada profundo. Para Truman, el sentido se hunde tras el horizonte, cada tarde, sin ser advertido. Todos somos Truman, decía Bowman. Bowman se solidarizaba hasta con las emociones que era incapaz de sentir. Las perseguía en las películas, porque se le hacían inaprehensibles, igual que a Truman, sin un cuenco de palomitas entre las manos.

—Hay una dirección —repitió el de la corbata amarilla, con un espasmo en el rostro, cuando se vio en los monitores.

—¿Cómo que hay una dirección?

—Sí, en el sobre —señaló Catwoman.

Yo estaba seguro de que pondría «Truman». Lo pensé con poco convencimiento, como si aún confiara en la bondad universal. Sin embargo, aquellos figurantes del plató estaban convencidos de que la gente que quería esconderse deseaba lo contrario, automáticamente o por defecto. La azafata le alcanzó el sobre al presentador que, como antes, leyó la dirección y dijo:

—Hay una dirección.

—No será la de Fuencarral —exclamó el de la corbata amarilla.

—Queridos amigos, esto es una exclusiva —encomió el presentador.

—La maleta tira de él, según parece —explicó el psicólogo.

—Si la lees se irá —dijo Catwoman, con la astucia de quien lleva almohadillas en las plantas de los pies.

Ahí estaba el vaso comunicante. Yo nunca había entendido la fama, incluso desconfiaba de cualquier renombre no lacrado por la muerte. Los famosos reaccionaban como si hubiesen nacido con el merecimiento. Aun así, ¿era yo tan previsible? ¿Podían predecir qué puertas había abierto y cerrado? Tenía la maleta sin abrir sobre la cama, y dudé de si sería necesario prever todas las posibilidades, irme de todas formas, vivir en la calle, como el hombre de la multitud. Catwoman tenía razón, si la dirección —siguiendo un azar que parecía sobrenatural— coincidía con el sitio que ocupaba, podía cambiar de vida en cinco minutos, internarme en un bosque umbrío y camuflar mis implicaciones en el presente y el futuro. Sabía que la dirección se divulgaría, era inevitable. Todo es inevitable en televisión y, de hecho, el tipo de la corbata amarilla insistió:

—¿De dónde viene el mensaje?

La audiencia se lo merecía. Era muy tarde y ya había pechado con una frustración presentada como pequeña aventura en las calles de Madrid. Yo mismo estaba harto de que me persiguieran sin resultados, aunque estuviese obligado a comportarme como un hombre celoso de su intimidad.

—Hostal Apolo —reveló el presentador—. ¿Dónde está eso?

Vi la sombra de la decepción en el rostro de Catwoman. Se le notó que sabía que había un equipo buscando el hostal Apolo desde hacía más de media hora. Me levanté y tiré de la valija. Tenía razón, la maleta me abría camino. Visitación había subido la escalera y me esperaba al final del pasillo, mostrándome el camino.

—¿Han llegado? —pregunté.

—Me he asomado fuera y algo raro pasa. Tenemos una puerta que da al callejón.

Me guió hasta un callejón de los que salen en los cuentos de O'Henry. Estaba siendo un invierno sin precipitaciones, así que ninguna huella en la nieve delató a los periodistas, si los había. Di las gracias a Visitación. Tampoco ella se explicaba lo que había ocurrido. Me lo dijo por señas, como si no habláramos el mismo idioma, y me señaló la bocacalle donde menos luces había. ¿Dónde habrán conseguido el nombre del hotel?, seguía preguntándome. Sin embargo, no había muchas posibilidades. El alcance de la deducción no se adentraba demasiado en lo inexplicable.

Llegué al pequeño cruce perseguido por los treinta y ocho periódicos de Ciudadano Kane. Allí tampoco aparecía nadie. Reinaba el silencio, pero un frenazo a mis espaldas me avisó de que el hostal Apolo estaba convirtiéndose en el mismo reloj de pared del que me desalojaban cada hora, igual que a un cuclillo. Mi vida la marcaba el tiempo de otros. Huir era paralizante, pero quedarme y hacerles frente era como darles la madera para que tallaran mi ataúd. Había muchos hoteles en Madrid. Quizá era el momento de prescindir de ellos, de echar a patadas a quien estuviera esperándome a la puerta de mi casa, tanto si eran discípulos como periodistas, y volver a ella. Es lo que estaba pensando, pero cuando alcancé el siguiente cruce me di cuenta de hasta qué punto necesitaba las enrevesadas referencias que me devolvía la jodida televisión, y de lo incongruente que era sentarme a verla en la poltrona de rey por un día de mi salón de estar. Los ojos intrépidos y, en el fondo, avergonzados de Catwoman decían más que la única y triste farola, remendada con parches de plata, igual que el cráneo de Apollinaire, que ardía en la esquina. Las calles de Madrid eran disparatadas. Todo, bajo sus luces, cobraba la extraña agitación de una noche de Walpurgis. Doblé la esquina sin mirar atrás. Un tipo a mis espaldas que fumaba tranquilamente, apoyado en el quicio de una puerta, me gritó: ¡Eh!

No debí volverme, pero lo hice. Un resplandor me salpicó la cara igual que un coche en una calle lluviosa. Era un cazador de recompensas, con su cámara en ristre. Tenía un sombrero verde. Ni siquiera habló. Solo miró a su pantallita, para ver si mi faz era lo suficientemente nítida y malencarada para que una revista la pagase, y echó a correr en dirección al hostal. La foto estaría esa misma noche ante los ojos del tribunal tabernario, lleno de figuras de cuatro sombras, que se repetía en todos los platós. Conocerían mi paradero. Repararían en algo bastante inusual en las figuras televisivas: que existo. Pondrían un nombre en la tumba del soldado desconocido y, a partir de ahí, casi todo lo que habían dicho sobre mí pasaría a quedar demostrado. Olerían el factor humano, el hilo de sangre de una presa que solo deja hilos de tinta, y soltarían a un infierno de condenados a estar en la calle y ver y oír solo lo que no comprenden. Mi única posibilidad era mezclarme con ellos. ¿Volver a casa? Lo sopesé seriamente. Si me habían sacado una foto, que me hicieran un millar más con la misma jeta y la misma maleta, quizá así se convencieran de que no tenía nada que ofrecer, salvo los insultos que no podía proferir ante una cámara. Volver a casa y escribir. La señorona de la televisión que había dicho que mi pretensión era la fama literaria tenía razón, una razón que ella misma no entendía, porque para ella la fama literaria era lo único por lo que no iban a pelearse los deudos cuando uno se fuera al más allá.

Fue la idea que se interpuso en el camino al lugar desconocido al que iba. Intenté improvisar ese lugar, ya con la seriedad suficiente para no caer en otro hotel, o en una tasca de los bajos fondos en cuya puerta seguro que se me atravesaba la maleta. Aquella maleta era un reclamo. La consigna habría sido dada, y los periodistas estarían ya apostándose en las esquinas, a la salida del sol, en espera de oír sus cojinetes en lontananza. Sin embargo, la llevé hacia el sudeste por todas las calles de Madrid, sin tropezar con ningún mojón del camino de mi vida. El farfullar de los automóviles, llenos de pequeños veranos tropicales, silenció mi peregrinación de refugiado y, cuando alcé los ojos del reloj, a las tres menos diez, me encontré frente a la estación de autobuses de Conde de Casal. Fue un acontecimiento inesperado, como hallar un cómic de la infancia en el escaparate de una librería de viejo. Veinte años atrás, en una época en que solo viajaba con libros, había tomado esos autobuses. La plaza estaba emparrada de luces navideñas. El camión de riego acababa de bajar la Avenida del Mediterráneo y, sobre esas aguas que parecían revelador, se veía el letrero del hotel Claridge. La cafetería estaba cerrada, pero la recepción mantenía encendido un pequeño árbol de navidad. Era lo más oportuno: dormir, soñar sin interrupción con aquel platillo pintado de amarillo pálido, el color que un niño prometedor había elegido para suplantar la carlinga plateada del Júpiter 2. Catwoman me había devuelto todos esos recuerdos, después de robármelos. Pensé que si ella y la cadena de televisión habían sacado partido a tales mentiras, era mejor no cometer verdaderos errores. A la mentira hay que escribirle un guion, la verdad lo escribe ella misma. Eso yo lo sabía bien. Había buscado argumentos narrativos desde que ingresé en el instituto, pero eran ellos los que me encontraban a mí.

Llegué a la puerta del Claridge con la primera nieve. Empezaban a caer copos gigantes como conos de diábolo. No sentía frío, pero eso era porque la calle empezaba a convertirse en mi hogar. Hubiese sido capaz de sobrevivir, como alguno de mis personajes, en el pasadizo de metro de Colón durante un mes. Era lo bastante orgulloso para encarnar a un mendigo. El reflejo que me devolvieron las lunas del Claridge empezaba a confirmar esas facciones nuevas. Busqué la bufanda en uno de los compartimentos laterales de la maleta y me envolví con ella la cabeza. ¿El Claridge? Mi cara demudada no estaba para pedir audiencia en el Claridge. Solo me admitirían si me reconocían, la única condición que yo no podía aceptar. Tampoco llevaba guantes. Tenía las manos ateridas, manos demasiado finas y deformadas de morderme las uñas, manos de bohemio, de escritor sin suerte, manos llenas de estigmas sin Calvarios que, si agarraban una maleta es porque iba llena de vestigios que revelarían únicamente incertidumbres o perversiones en cualquier programa de televisión.

Me largo a casa, decidí. No fue una resolución repentina, pero si espontánea. Llevaba dándole vueltas varios días, pero la intemperie, a las cinco de la mañana, y el hallazgo de la estación de autobuses habían dado sentido a esa extravagancia. A través de los pliegues de la bufanda vi el letrero luminoso que fulgía en mitad de los andenes solitarios. Lo tenía todo para tomar uno de aquellos autobuses: una maleta y mucha, mucha nostalgia. La casa de mis padres siempre había sido un refugio. No era ya mi casa, sino la del niño que había pintado aquel platillo tan brillante que parecía dispuesto para que viajase en él Tamara de Lempicka. Quizá sea, pensé, la única forma de recuperarlo.

Salía un autobús hacia Mérida a las cuatro y media, así que arranqué un café de la máquina, con los mismos cortes que se le da al árbol del caucho y, con el billete en la mano, adopté la pose que tanto habían criticado las mujeres de mi vida: mirar el mundo desde un andén. Tenían razón. O te vas, o se van los demás: es la mejor forma de tener contemporáneos, aunque uno viva de compararse con ellos.

El autobús, medio lleno, fue puntual. Salí de Madrid en silencio. Andar por un mundo cuyas esquinas están empapeladas con tu cara es una especie de sobrepeso. Alcanzamos la A5 cuando apuntaban las primeras luces. Entre los pliegues de la bufanda vi que algo profundamente encarnado surgía al fondo del paisaje de la Casa de Campo. Después, solo recuerdo el comienzo de una película sobre dos tontos en California, y el paso de vallas publicitarias, durante los instantes fugaces que precedieron a un sueño de transeúnte. Llamaría a mi mujer a la mañana siguiente. Ella lo comprendería. Los únicos caminos que uno tiene siempre son comprensibles, como el destino.

La bufanda me protegió de la luz durante cuatro horas de duermevela. Al llegar a Mérida, tomé un taxi en la estación que me llevó a Almendralejo. Había vivido allí hasta que fui a la universidad. Allí vivían mis padres. Entré por los caminos habituales, y miré las aceras que había pisado desde mi infancia. En los últimos años apenas había frecuentado el hogar paterno. A lo sumo, un par de veces al año. Llamaba a mis padres por teléfono y, a veces, eran ellos los que me remitían, metidas en sobres de papel acolchado, las cartas a mi nombre que aún llegaban al que había sido mi hogar. El taxi me dejó en la cabina telefónica de la Plaza de Abastos. Yo escrutaba al taxista, tratando de saber si me había reconocido, pero el hombre parecía absorto en cosas profundas e importantes. Le dije que esperara mientras llamaba por teléfono desde la cabina.

—Estoy aquí —le expliqué a mi padre. Había descolgado el aparato al segundo timbre, pese a lo temprano que era. Eso me indujo a pensar que nadie vigilaba la puerta.

—¿Aquí? —dudó, sorprendido. Sin embargo, era un hombre de extrañas sorpresas, que apenas se sobresaltaba ante nada. Su vida era un proceso continuo de entendimiento y aceptación. Pese a que no aprobara la mayoría de las cosas que aceptaba, las noticias televisivas, las muertes de la familia, los vestigios del progreso y la modernidad atravesaban su alma como si ésta las bendijera para librarse de ellas.

—Acabo de llegar. Me quedaré poco tiempo. En cinco minutos estaré con vosotros. Abridme cuando llame.

Despedí al taxi. Hubiese despertado demasiadas sospechas que me llevara hasta la calle de Palomas. Que yo supiera, nunca un taxi había aparcado frente a la casa de mis padres, y menos un taxi de otra ciudad. Los únicos coches de servicio público vistos por allí fueron el camión de la basura y el Mercedes de la funeraria, cuando murió mi abuela materna.

Arrastré la maleta desde el mercado, con la bufanda embozada sobre la boca. Había recorrido aquella acera desde los diez años y ahora, en plena clandestinidad, repasaba con la nitidez de entonces las baldosas del camino. No me crucé con ningún conocido, ni tuve que saludar a los vecinos de entonces. Si me vieron, nadie pensó que yo fuera yo. No podía estar allí, y no estaba. Para todos los que habían visto mi cara en televisión, en las revistas, para los que se habían asomado a la calle tomada por periodistas era impensable que de pronto reanduviera el camino que hacía de niño, con el balón bajo el brazo, del que me había apartado una audiencia de la que ellos formaban parte.

Llegué a casa sin contratiempos, con el lastre de aquella maleta y la pinta de haber ocupado el lugar del cartero, después de matarle. Las planchas de la puerta parecían combadas hacia fuera, como si de la otra parte hubiesen apoyado contra ella un enorme fichero de biblioteca. Al llamar, la cabeza de mi padre apareció por la rendija, y una tarjeta de visita inserta en la hendidura cayó al suelo. La recogí y observé que mostraba el nombre de un periodista y el de una emisora de radio con sede en Sevilla, perteneciente a una cadena de ámbito nacional.

—¿Cuánto hace que no salís? —pregunté a mi padre, antes de besarlo. Todos los besos que le daba tenían la apariencia de besos de trámite. En mi familia solo nos besábamos después de largas ausencias. Los besos que eran habituales en otras familias se sobreentendían, así que no se daban. No necesitábamos expresar la alegría de volver a vernos. Era mi padre el que iba siempre por delante en la ruptura de esa convención. Yo volví a casa durante años para que me diera aquellos besos de bienvenida, empapados de los largos periodos de ausencia. Aquella mañana, con la bufanda desmadejada y la maleta, me dio el mismo beso que cuando salí por la puerta para ir a la universidad, el mismo que cuando me levantaba de la cama, en mis numerosas noches de niño insomne, para enseñarme los cuadros de las paredes. Me pareció que aquel beso traía al pasado rodando sobre un plano inclinado, para acabar en una zambullida.

—Desde anteayer —contestó.

Quizá el tipo que había dejado la tarjeta siguiera por allí. Podían haber relajado la vigilancia, pero no hasta el punto de que la aparición de un desconocido les resultara rutinaria. Habían pasado demasiadas cosas para que volviera indemne a casa y, de inmediato —lo vi en la forma en que tomó la maleta y me ayudó a pasar al zaguán—, mi padre supuso que lo que necesitaba era la mejor cama y el menor número de preguntas.

Ambos lo habían dispuesto así. Mi madre aguardaba dentro, en el pequeño cuarto de estar donde destacaba la televisión, enorme como un carguero embarrancado. Había recorrido tantas veces las tres naves de mi casa que me sabía los defectos de cada azulejo, pero me parecieron un extraño túnel de silencio. La televisión estaba apagada, cosa extraña. No supe si lo habían hecho por mí. Me dijeron que estuvo puesta hasta las tres de la mañana. Cada vez encontraban más absurdo que la televisión hablara de mí. Yo mismo había optado por no perder el tiempo en interpretar lo que decía. Me había convertido en alguien de quien no se habla claramente. Todo era interpretable. En un momento me puso al tanto de lo más reciente: mis hermanos habían recibido varias llamadas de reporteros interesados en mi infancia y adolescencia. ¿Había yo tenido problemas con mis padres en esas etapas de la vida? ¿Qué pensaban ellos, mis hermanos, y mis padres, de las noticias aparecidas en la prensa? ¿Por qué había marchado yo a Madrid, cuando terminé la carrera? ¿Qué relaciones tenía con varias personas de la *jet set*? ¿Tenía relaciones con la *jet set*? Era mi madre la que pronunciaba esa expresión recién aprendida. ¿Por qué había sido un niño tan inseguro? ¿Existió algún tipo de trauma, algún complejo, en mi infancia? Si no era así, ¿a qué se debía? ¿Quiénes habían sido mis novias en la adolescencia? ¿Quizá esa Penny Robinson? ¿Vivían cerca? ¿Era yo, en realidad, tan agresivo como había asegurado una periodista?

—¿Qué nombre has dicho? —pregunté a mi madre.

Trasladó la pregunta a mi padre: ¿Penny Robinson? Era mi padre quien lo había apuntado. Fue a mirar la libreta donde, cada domingo, durante los últimos cuarenta años, había ido entresacando los resultados del carrusel deportivo. Penny Robinson, en efecto.

—¿Quién lo ha dicho? —pregunté.

—Un periodista de ese programa donde todos se pasan la tarde discutiendo —dijo.

—¿Cuándo?

—Ayer.

A mis hermanos los llamaron por la noche, como a delatores. Las cadenas locales habían empezado a ocuparse del tema, y todo estaba en boca de los vecinos. ¿Quién era Penny Robinson? A nadie le sonaba el nombre, pero me pareció que una mano, en la vorágine de la multitud, lo había marcado con una cruz para que una legión de cepillos de dientes lo buscara hasta desenterrarlo. Primero las fotos, después el bloc, ahora un nombre que contenía, igual que los nichos que los niños les hacen a las golondrinas muertas, casi todo lo que yo consideraba perdido. Conocía a gente en la televisión local, pero no del tipo que guarda las confidencias. No podía correr el riesgo de que me localizaran, si llamaba desde un número de la localidad. Solo había una solución. Decidí llamar con el teléfono móvil de mi padre y hacerme pasar por otro periodista de las altas esferas. No hay admiración entre los periodistas, solo jerarquía. Llamé a la cadena local y pedí que me pusieran con el director, haciéndome pasar por un remoto mandamás con antecedentes de *showman*. Incluso intenté regurgitar el tono de voz de ese hombre que había oído muchas veces en programas de debate.

—¿Cómo va el tema de Penny Robinson? —le pregunté al director, un señor al que conocía de algunos eventos municipales. Al fin y al cabo, yo era grafómano en mi patria chica. Me habían entrevistado, como escritor, para rellenar espacios difusos con mis opiniones sobre la pendiente por la que resbala, sin remisión, el hombre.

—No hemos sacado mucho. Sus amigos no la conocen.

—¿Entonces?

—Seguiremos insistiendo. A mí me parece que he oído ese nombre.

—¿Dónde?

—La cuestión es cuándo… Quizá sea una novia extranjera —contestó evasivo. Era de mi edad, así que no dudé de que con el tiempo un recuerdo bello y preciso llamaría a su puerta—. ¿No dice nada más la carta?

—¿Qué carta? —pregunté.

—La que la competencia le compró a ese *freelance*. Aún no tengo claro si la consiguió él o se la compró a alguien.

—Estamos en ello —dije, y colgué de inmediato.

—¿Qué carta? —pregunté a mi madre.

—Han hablado de una carta —terció mi padre—. No en el programa donde todos se pelean. En otro.

Se peleaban en todos los programas, y en los que yo aparecía sólo había fingimiento y violencia. Las orejas arrancadas eran de plástico, y las verdades, irreprimibles. El número de esos programas, los de orejas de plástico y verdades de parvulario, era infinito, así que no supe, en un primer momento, qué tecla pulsar del mando a distancia, ni cuándo pulsarla. Descarté, en primer lugar, el espacio donde participaba Catwoman. Habría visto esa carta la noche anterior. Debía de tratarse de algún otro y, conociendo los gustos de mi madre, hasta que los infundios sobre su hijo los pusieron en la picota, creí saber a qué cadena tenía que dirigirme.

Me parecía irónico, casi vergonzoso, volver a mi ciudad natal para mirar la televisión. Era más hermoso volver sólo para recuperar vestigios. Ya había sido un oscuro televidente de hotel en Madrid; sin embargo, dejé pasar el tiempo hasta las cuatro de la tarde y, después de un bloque publicitario durante el que podría haber leído completas las *Memorias de ultratumba*, la carta apareció en las manos de una de las invitadas. ¿Invitada? No, mi madre me dijo que era la presentadora. ¿Presentadora? No, mi padre aclaró que aparecía en el programa para hablar de colchones de látex y tintes para el pelo. No obstante, el hecho es que poseía la carta o, al menos, una apariencia de carta consistente en un papel manuscrito acompañado de su sobre, también manuscrito. Empezó a decir que la habían conseguido gracias a un seguimiento que, de modo bastante imprevisto, había enriquecido el azar. Dios ayuda a los que se ayudan a sí mismos, etc. Es decir, la habían robado. Sin embargo, nada de lo que mostraban violaba mi intimidad. Yo ya no tenía intimidad pero eso, para el público que poblaba el plató, estaba más que justificado. ¿De ahí provenía aquel hiperbóreo nombre de mujer: Penny Robinson, de la incursión de un *freelance* en mi correo electrónico? Pensé, al ver el papel en manos de la presentadora, que era una manera clásica y simple de dar bombo a cualquier invención de los guionistas: el manuscrito encontrado. Supuse, cuando vi que mi madre se ponía cómoda en el sillón de orejas, que aquella señorita morena, cubierta con una falda de lana del color de la lava de un volcán, la misma que usaba para sentarse someramente, con las piernas cruzadas, sobre blancos colchones de látex, iba a convertir la revelación en una verdad irreprimible. Habían intentado, dijo, localizar a la persona que me había enviado la carta, pero el intento resultó infructuoso. Alguien se había desplazado a Brazaville, y de allí había alquilado un fueraborda hacia Kinshasa, pero la persona que era objeto de aquella búsqueda, tras una breve y decepcionante conversación telefónica, había desaparecido en un barrio parecido a un cañaveral. Incluso se había recurrido a contactos diplomáticos. Al fin y al cabo, los agregados culturales son como pequeñas piedras en una tiara: todas deben colaborar, sin excepciones, en que la luz se vea más bella y clara. Si no, qué justificaría sus privilegios. Han de obedecer órdenes, por peregrinas que parezcan.

Pablo Naya, pensé. La carta de Naya había llegado a mi buzón, y de él la había sacado el tipo del que me habló mi vecino, el abogado. La presentadora amplió algo que ya estaba, según dijo, en todas las revistas. Eso exculpaba a su cadena. Algunos televidentes habían llamado a la redacción para exponer sus comentarios. La cosa empezó a tener sentido cuando aquellos comentarios fueron aclarándose como recuerdos. Alguien dejó dicho, en un ignoto contestador, que Penny Robinson era la niña de *Perdidos en el espacio*. Apareció la cara de una jovencita que había encarnado el papel de Penny en la última versión cinematográfica, pero otra llamada que entró inmediatamente por antena desmintió aquel rostro. Esa chica no es la de la serie. ¿La serie?, preguntó la presentadora, demasiado perdida en el interior de la máquina para concebir una televisión que hubiese dejado huella en muchas infancias. La serie de los años 60, indicó el anónimo espectador, ¿no se acuerda? Fue evidente que no se acordaba. Era demasiado joven, y su interlocutor demasiado insensible, o vehemente, para concebir que hubiera gente que no compartiera sus apeaderos vitales. El público permanecía en silencio, mirando el mapa del tesoro que la presentadora exhibía en lo alto.

Los sabuesos de la videoteca actuaron con prontitud. Un rostro fue remplazado por otro. Al cabo, apareció la niña de la que hablaba Pablo Naya. No recordaba su nombre real, pese a haberlo leído en la pantalla en blanco y negro de la televisión, cada tarde de jueves, entre los seis y los ocho años, pero de inmediato fue mencionado: Angie Cartwright. Mi infancia de peregrino en busca de la flor azul todavía vadeaba ríos entre el barrio de las afueras donde vivía y aquel lejano mundo donde Penny Robinson se hacía mujer con lentitud, como una estrella de neutrones. Naturalmente, todo se lo contaba a Pablo Naya. Ambos habíamos amado sin celos ni melancolía a la misma mujer, igual que se comparte un espejo. Cuando vi el rostro de Penny, enfundada en su traje plateado, con el flequillo recto y dos trenzas hechas con el cuidado de quien tiene una eternidad por delante, supe que lo que me fallaba era la nostalgia, no el objeto que la avivaba. Ella tenía los ojos tristes y una sonrisa desvaída entre repeticiones de la misma toma. Pablo Naya quizá seguía eclipsado, desde Kinshasa, en el espacio profundo que hacía casi cuatro decenios nos formulaba tantas y tantas preguntas sobre las mujeres, un espacio que no había envejecido.

¿Era de Pablo Naya aquella carta? ¿Seguía Penny Robinson perdida allá arriba, y la carta de Naya traía las habichuelas mágicas que iban a llevarnos, algún día, hasta ella? La presentadora las agitaba en aquel sobre que sonaba como una maraca. El tema iba a ser tratado en profundidad. La carta, difundida la tarde anterior, no había llegado a las cadenas de la competencia. El inicio de ese enésimo viaje entre la verosimilitud y el artificio dependía, por tanto, de la producción propia. Si era de Pablo Naya, quizá fuese demasiado comprometedora, pero los productores de esos programas saben que los recuerdos dan más dividendos que los desnudos. Si no era de Naya, podría dedicarme a pensar otras cosas. Mi madre presentía, o adivinaba, mi inseguridad y, en la cámara oscura de su memoria, también reconocía a Angela Cartwright, la prometida de todos los niños del mundo.

En el plató entraron un hombre y una mujer, los colaboradores habituales. Escuché en toda la calle, en toda la manzana, el aplauso con que los asistentes les dieron la bienvenida. La gente aplaudía sin condiciones una realidad que formaba parte de la programación, como si también la perfecta ignorancia tuviera secretos inconfesables que un *freelance* pudiese robar de su buzón. Las dos gargantas profundas se sentaron y empezaron, como siempre, por las conclusiones. Sobrepasaban ambos la cincuentena, pero las cremas que anunciaba la presentadora les habían puesto un cutis de treintañeros, sobre todo a él. Ella era rubia teñida. Tenía muy marcadas las facciones, como si fueran estigmas de un exceso de personalidad.

—¿Vuelves a fumar? —me preguntó mi padre. Acababa de encender un pitillo, con la suficiente crispación para que el gesto pareciera despreocupado.

—Solo por placer —dije.

Ahí se acabó la pesquisa. A mi padre, que nunca había fumado, le pareció lógico. Un placer escapista era lo que su hijo necesitaba y, para él, que sin haber leído un solo libro intuía todos los saberes, cualquier placer era escapista. ¿Pero escapar de qué? Resultó evidente que de los placeres de los demás, llevados a la televisión como vacas al matadero. En televisión nadie fumaba.

Me senté. Todas las pantallas a las que me había asomado últimamente requerían del que las miraba una posición sedente, o yacente, una posición de donante de sangre. El programa podría haber seguido así durante una glaciación, pero pronto quedó manifiesto que todo giraba en torno a la carta. La gente ansiaba que se leyera, pese a que se había leído la tarde anterior, y destazado, mancillado, pisoteado, puesta en duda, según mi madre, también por la noche. La gente seguía reclamándola, igual que la eterna juventud. A todas luces, yo no era el héroe en ella, sino el monstruo. Escondido en lo profundo de un maizal, aparecía en los bordes de los ríos, como el Lorelei, y susurraba palabras atónitas en los oídos de mi amada Penny Robinson.

—Ese tipo es un crápula empedernido. Su amigo habla de dos chicas... —dijo la rubia, ahuecándose el pelo—. No me extrañaría que ese amigo estuviese también implicado. ¿O no les parece turbio todo esto? Me importa un carajo que pertenezca a nuestro cuerpo diplomático en los cerros de Úbeda. La carta lo dice bien claro —se llevó a los ojos la copia con que había entrado y leyó—: «A veces Penny se me aparece en sueños, con aquel flequillo que nunca crecía y los ojos incendiados por la pubertad... Tú eras un escritor en ciernes: ¿no me dijiste una vez que ella y Annabel Lee iban a ser para siempre las mujeres de tu vida? Creo que nadie ha superado a Penny, ni siquiera Annabel Lee. No he podido quitármela de la cabeza durante tantos años y tantos viajes. Todavía la busco».

—Yo investigaría a esa Annabel Lee —concluyó la rubia—, quizá pueda decirnos algo de este par de sujetos. El que ha escrito esto no me parece trigo limpio. No mira con ojos de persona normal. ¿No les recuerdan a los de James Mason en *Lolita*?

El público seguía murmurando, con el gesto torcido, lo cual produjo tal incongruencia que la que había establecido la comparación tuvo que preguntar, refiriéndose a la película de Kubrick:

—¿La ha visto alguien?

Nadie había dicho aún que, aunque hubieran robado la carta de mi buzón hacía unas semanas, el que la escribía tenía siete años cuando sintió lo que contaba en ella. Al menos, aquella breve lectura comentada me daba una referencia de lo que me había enviado Pablo Naya. La carta, dijeron, iba a publicarse completa en las revistas, sobre todo en aquellas a las que menos importaba lo que contuviese, y más lo que pudiera sospecharse. Después de pelear durante años, como escritor, por las connotaciones, ahora las encontraba en manos de aquellos desaprensivos. Me retrataban con fidelidad: un niño enamorado que jugaba con sus posibilidades, pero añadían un semblante dibujado por *voyeurs* enfermos abrazados al periscopio que había entrado a hurgar en la caja de fotos de mi madre y en mi buzón.

No paró ahí la cosa. Todo estaba expuesto para no decepcionar a nadie. Todo se hacía con un espíritu de competición, pues de ello dependían los índices de audiencia. Sin duda, había una legión de operadoras trabajando con clavijas que unían elementos inverosímiles. De esa centralita surgió la visión distante de aquellas dos figuras que habían empezado a acercarse, y terminado casi fundiéndose en una: Tere, el misterioso reverso de la frase que había alimentado las fuentes de mi infancia —*Amo a Tere*—, y la etérea Annabel Lee.

—¿Quién es la máscara de quién? —preguntó la rubia, mirándose en el monitor, satisfecha del arrebol de nínfula que le habían puesto en el *backstage*, antes de entrar en plató. Añadió—: Y, sobre todo, ¿qué pueden decir esas máscaras de nuestro hombre?

—¿Hay algo que no sepamos? —apuntó el contertulio masculino. Se le notaba algo cansado de ahondar en las evidencias, quizá porque éstas eran de dos dimensiones. Llevaba colgadas del cuello unas gafas de cerca que parecían hundírsele en el pecho. Se las puso cuando empezó a decir:

—Nos falta mucho por saber. Yo diría: todo.

—¿A qué te refieres? —preguntó la rubia.

—Al menos, lo que estas dos chicas puedan contarnos. Annabel Lee es un personaje de Poe —dijo el hombre, que traía el poema fotocopiado—. ¿Quieres que lo lea? Es posible que Poe aporte las luces que nos faltan.

—¿Un poema? —dijo, contrariada, la rubia. Acababa de ofrecer, con lo de las máscaras, una visión lo bastante venal del asunto como para que ahora Poe viniera a estropeársela—. Creo que bastará con que hablemos con la otra.

—¿Alguien ha leído sus libros? —preguntó el hombre al público.

—¿Los de Poe? —preguntó la presentadora.

—Los de Guerrero.

El público guardaba silencio. La presentadora, sin perder de vista las líneas de la carta, dijo que no era necesario hablar de literatura, es decir, de Poe. Y agregó:

—¿Quieres decir que nuestro personajillo se encuentra en paradero desconocido por las mismas razones que Salinger, para que lo lean?

—Quizá todas las respuestas ya las haya dado él —dijo el contertulio que había mencionado a Poe—. En sus libros, claro. Habría que…

—¿Leerlos? —lo cortó la rubia, espantada.

Aquel hombre, al decir de mi madre, no era la primera vez que me defendía. Al menos, no solía atacarme y, a menudo había mantenido una actitud de duda ante todo lo que los demás decían de mí, que casi siempre era lo que se esperaba. De pronto dejó el poema sobre la mesa y sugirió:

—Quizá habría que dejarle que hiciera literatura.

—¿Crees que le dejarán hacer eso? —se escandalizó la rubia—. Ese tipo es como un payaso que sale a la pista central del circo con la pretensión de contar lo mal que le sienta que la gente se ría de él. ¿Crees que está aquí para eso?

—¿Para qué está, entonces? —preguntó el hombre que a veces me había defendido. Formulaba una pregunta de lo más retórica, pero insistió—: ¿Para qué lo hemos traído?

Un espasmo colectivo se pintó en los rostros del público. ¿Catarsis?, gritó mi corazón escéptico, dispuesto a aceptar hasta conmiseración. No, todo partió de uno de los monitores del plató, en el que salía el interpelado, es decir yo, huyendo apresuradamente de las cámaras a la puerta de mi casa. Habían repetido la toma hasta la saciedad, pero la gente se reía —ahora solo con los vestigios de un ceño inexplicable y una chispa de sílex en los ojos— por el hecho de que esa repetición fuese un poco a cámara rápida. Mis padres parecían petrificados. Igual que la multitud había acusado aquella gracia patética de la huida a cámara rápida, ellos mostraban como una imprimación el terror que les producía aquel salto al vacío del hijo que creyó, muchos años atrás, que habría un borde, un ángel con los brazos abiertos al final de ese salto. Yo les había repetido tantas veces la palabra literatura que ahora les pareció que mis implicaciones en algo a lo que había consagrado todo mi tiempo, y también todo el suyo, era subido a una sucia palestra para ser vendido.

—Nadie lo ha traído. Se ha presentado él mismo —dijo la rubia—. ¿No ha estado pidiendo cámaras toda su vida? Pues ahí tiene las cámaras…

El público estalló en un aplauso. No había carteles, fue un arrebato espontáneo. Aquella señora de pelo baldeado con el tinte de *Barbarella* no me conocía. Supuse que lo dijo sosteniendo opiniones de gente que tampoco me conocía. Quizá me atribuyó el parecer de todo el mundo. Sin embargo, si yo mismo bajaba al pozo de mi propio corazón y tocaba aquella agua susurrante, tenía que reconocer que era verdad. Que, aunque ellos, los que me perseguían, se hubiesen equivocado de perseguido, el perseguido hubiera tenido mucho gusto en hablarles de sí mismo no como un hombre que huye de un sinsentido, sino propiamente como un sinsentido que huye.

—¿Por aquí piensan lo mismo? —pregunté.

—Algunos dicen que te han pagado para que no salgas en televisión.

Fue mi madre la que contestó. El estupor la había convertido en rumiante. Solía, a su edad, andar y desandar los mismos pensamientos, pero ahora lo hacía sin esperanza de obtener una explicación. Un estupor infranqueable, surgido inevitablemente del mundo que conocía, de las calles que frecuentaba y los vecinos que trataba, se superponía a esas mentiras de la televisión y a ese sadismo que escribía los guiones. Miraba la televisión y me miraba a mí. Su hijo llegaba solo, igual que veinte años atrás. Eso explicaba cualquier otro desconcierto. Ninguno de los dos me había preguntado dónde estaban mi esposa y mi hijo. Era comprensible: no podía lanzar por ese tobogán a una mujer y un niño. ¿Pero por qué no había desaparecido con ellos? Esa disculpa era más sencilla: porque me era imposible desaparecer. Les habría puesto sobre las tablas de un cabaret. Sin embargo, hacía tiempo que esa disculpa a mí no me servía y sospeché, por el silencio de mi madre, que tampoco a ella. Repetí:

—¿Que me han pagado?

—Enormes sumas de dinero.

—¿Por qué vigilan esta casa?

—Por si apareces —respondió mi padre—. Todo es por si apareces.

—¿Quiénes dicen que me han pagado?

—¿Quiénes? —repuso mi madre—. A mí no se atreven a preguntármelo, pero mis primas y algunas vecinas dicen que a ellas les hacen esos comentarios por la calle.

—¿Periodistas?

—No. Gente normal. Quieren saber por qué estamos reñidos contigo —hizo una pausa y aclaró—: Las vecinas tampoco lo saben.

—Sin embargo, tenemos a esa niña. Esta es nuestra exclusiva —oí en la televisión.

La presentadora seguía enarbolando la carta con el matasellos de la embajada de Kinshasa, si es que en Kinshasa existía diplomacia. Ahora se la había puesto en el pecho, como si fuera un pollito aterido y hubiese que protegerla con el calor del cuerpo.

—Nuestro equipo de realización lo ha hecho posible. Esa niña tiene nombre y apellidos, pero ahora no importan. Tere, solo Tere. Vive muy cerca de donde vivía cuando era niña, en la misma ciudad. Los antiguos vecinos de nuestro hombre más buscado se han puesto a trabajar y han dado con ella. Veamos qué recuerda Tere de aquellos tiempos. ¿Tere? ¿Estás ahí?

Hubo una espera repentina, colmada de ruidos de fondo en los que la propia televisión se copiaba hasta el infinito, como dos espejos frente a frente. Al cabo de cinco segundos, la voz de alguien que parecía hablar desde el pie de un plano inclinado surgió del teléfono. Una voz sorprendida, aunque habituada al teléfono, que repetía los timbres, soplados en cristal de tulipa, de las antiguas locutoras de seriales radiofónicos.

—Hace mucho que nadie me llamaba así.

—¿Te llamaba él así?

—¿Quién?

—Llevamos días hablando de un hombre que hace años estuvo enamorado de ti.

—Me lo ha dicho su compañera, pero no lo recuerdo.

—Tendrías aproximadamente seis años —recalcó la presentadora.

—No tengo tan buena memoria.

—¿No recuerdas nada de él?

—Nada —contestó aquel remoto e involuntario primer amor—. Me acuerdo de un ramillete de margaritas que dejaron una vez en mi puerta. Nunca supe quién. Debió de ser a principios de junio.

¿Es ella?, me pregunté. Amapolas, no margaritas. Pablo y yo las reunimos como dos duendes de cuneta y se las dejamos en el umbral. Llamé al timbre y nos escondimos tras el caballón de una zanja que las excavadoras municipales estaban abriendo a todo lo largo de la calle para meter tubos de desagüe. La había visto aquella tarde remota, pero necesitaba volver a verla antes de irme a la cama. Necesitaba que un acto mío, deliberado, marcado por un propósito, mi primer acto de hombre que ama, la trajera ante mí. Sin embargo, erré al pensar que iba a ser ella la que abriese la puerta. Fue la madre, vio las flores y las recogió. Adivinó que aquello era un regalo, y que la destinataria no era ella. Metió el ramillete en casa y un minuto después levantó, sonriendo, el visillo de la ventana, pero fuimos cautos. Escapamos y durante las tres semanas siguientes estuvimos hablando de nuestra audacia. Habíamos puesto carne al amor de nuestra vida, pero era una carne que no contestaba, así que Tere se convirtió en otra mujer tan inaccesible como Penny Robinson, capaz de satisfacer solo nuestra avidez de imágenes. Los tres últimos jueves de junio, pues todas las series se aplazaban hasta después de las vacaciones escolares, nos plantamos frente a la televisión y, cuando quise poner la voz de Tere a una belleza de otro planeta, doblada por gente con acento también de otro planeta, me di cuenta de que nunca había cruzado con ella ni una sola palabra.

La que oía casi cuarenta años después era una voz de selva profunda, empujada por su propia fuerza, como las cascadas de agua. Tan fresca y precisa que no se notaban los cables del teléfono. Tere no podía recordar nada de dos niños que no conocía, pero su desmemoria, al menos, estaba sacando mis recuerdos de una cámara frigorífica. Mis padres aguzaban el oído, intentando reconocer la voz supuesta de uno de sus paisanos. Levantaban las piedras del presente, en tanto yo las arrojaba a un lago profundo donde no iba a poder recuperarlas. Mi pasado estaba lleno de huecos en los que no encajaba ninguna de las figuras que iba encontrando.

—¿Es cierto que vives muy cerca de donde vivías entonces?

—A la vuelta de la esquina —contestó. Deduje que cuando desapareció de nuestras vidas, más o menos a los siete años, debió de irse mucho más lejos. Tampoco la vi durante la adolescencia, así que su vuelta tuvo que ser, muchos años después, todo un verdadero retorno. Nostalgia, o fracaso. La primera se escoge, y yo, en aquellos momentos, no me sentía muy inclinado a tener fe en esa libertad.

—Pero ahora sabes a quién estamos refiriéndonos, ¿no es así? —dijo la presentadora. Detrás de ella apareció mi fotografía, un óvalo de ojos cansados y encendidos, la cara de alguien que se ha pasado el día mirando desde el brocal a lo hondo de un pozo demasiado oscuro.

—Sí —dijo ella.

—¿Y no te recuerda nada al de entonces?

—No puedo relacionar esa fotografía con nadie.

—¿Y esta otra? —dijo la presentadora. Entonces apareció una foto escolar, en blanco y negro, extraída por la mano fantasmal del biógrafo atraviesaparedes que había llegado hasta el ropero de mi madre y robado la caja de puros. Un niño colocado de perfil, con la cabeza vuelta hacia la cámara y el flequillo improvisado sobre la frente, se abrazaba a un libro de matemáticas. El niño con los ojos más prometedores que había visto nunca. Esa foto, que había tenido durante decenios una vida secreta a mis espaldas, se asomaba al presente con todas las dudas, debilidades y paradojas de la vida comprendidas y resueltas. Recordé el día de invierno que me la hicieron. Nadie avisó de que el fotógrafo fuera a presentarse en el colegio, y me sorprendió con un jersey que tenía totalmente zurcidos los codos. Mi madre, cuando llevé la fotografía a casa, me regañó por no haber tapado, o disimulado, o borrado con un conjuro aquel parche demasiado elocuente. Tere seguía en silencio y, en lugar de contestar a lo que le habían preguntado, dijo:

—¿Podría enviarme una copia?

—¿De dónde la han sacado? —inquirió mi madre.

—De la caja de puros que tienes en el ropero —dije.

Hubiera descolgado el teléfono para repetir la petición de mi Beatrice Portinari, pero hacía tiempo que los arrebatos no hundían sus raíces en mis deseos. La foto me pareció la cura a todas mis penas, el estado previo a lo que me estaba pasando y a cualquier error que hubiese cometido a lo largo de mi vida. Mirando aquellos ojos en los que no podía reconocerme, todo me pareció fácil.

—No puede ser. Alguien tiene que tener una copia de la foto —dijo mi madre.

—¿Quién?

—Es una foto de carné.

—El carné me lo hice doce o trece años después. Es una foto más grande, una copia...

Mi madre no podía quitarse el desconcierto de encima. No obstante, se levantó, con ayuda de mi padre, y fue directamente a su habitación. Mientras tanto, Tere escuchaba en silencio. Nos ocurría a todos, lo de aguardar expectantes a que se contaran relatos en los que éramos protagonistas. Yo mismo aún no había visto un solo resquicio por el que entrar en mi historia y participar en ella. Si lo hubiese hecho, habría sido la voz más desautorizada, así que era mejor optar por permanecer al margen. Ver lo que le ocurre a uno con el derecho de quien ha pagado una entrada. Al menos, en tal posición puedes exigir. Tere pensaba lo mismo; sin embargo, rompió su silencio en mitad de una explanada de extrañeza.

—Puede que ahora recuerde —dijo.

—¿Qué recuerdas? —preguntó la presentadora—. ¿Cruzaste alguna palabra con él?

—Crucé muchas —respondió ella.

La revelación me emocionó, aunque fuese falsa. No tenía conciencia de que hubiera ocurrido nada tan importante en toda mi infancia, excepto la llegada del Apolo XI a la luna, ocurrida poco después de perder a aquella niña a la que ahora recuperaba sin haber compartido con ella más que ensueños.

—¿Qué te dijo?

—No recuerdo bien. Que me parecía a alguien.

—¿A quién?

Mi madre volvió de su ropero con la misma fotografía, en dos tamaños. La mayor era algo más grande que un paquete de cigarrillos. Había estado doblada, y un pliegue me cruzaba entre la nariz y la boca. La pequeña sí era de tamaño carné. Mi madre me dijo que yo había traído del colegio cuatro copias pequeñas y una grande. Se preguntaba quién tenía las otras tres. Quizá alguna se hubiese perdido. En cualquier caso, yo no sabía qué pensar. Esos minúsculos azares y traiciones se me antojaban de serial televisivo, claro que todo lo que se decía de mí formaba parte de una comedia presentada como algo demasiado serio.

—A esa chica.

Rescataron la foto de Penny, a pantalla completa, con sus ojos alumbrados por lejanos cuadrantes del universo que solo ella podía ver. Aquel remoto personaje infantil iba adquiriendo un énfasis excesivo e inexplicable. Ahora, Tere volvía a subrayarlo con las palabras de guionistas bastante siniestros. Ella solo repetía, pero por qué, me pregunté. Me pregunté muchas cosas, cuando la despidieron y la invitaron a que pusiera en claro todos sus recuerdos en días sucesivos. Sobre todo, me pregunté cómo sería aquella mujer. Conservaba muy vívido el rostro de la niña, entrando siempre por la misma puerta a la hora de cenar, igual que el resto de los niños, siempre envuelta en el aura de un silencio que tenía que ver con el futuro, cuando aún le faltaban seis o siete años para ser adolescente.

Volver allí fue una tentación que me rondó toda la tarde, como una sirvienta vieja y silenciosa. El tiempo no puede recuperarse, pero arriba las estrellas eran idénticas. Si lo hubiera sabido me hubiese fijado en ellas la noche en que dejé sobre el umbral el ramillete de amapolas, pero a esa edad uno forma parte de lo eterno y no mira las estrellas.

Cuando dieron las diez me tapé la cara con la bufanda y salí de casa de mis padres, donde había estado calentándome como un viajero de postas. No tenía nada planeado, pero aquellos lugares que no había olvidado me llamaban con determinación, así que lo que empezó siendo una excursión nocturna —ya solo paseaba de noche, igual que Lovecraft por Providence— acabó frente al patio abierto y oscuro que había compartido con Pablo Naya. Volví al lugar donde todo aquello había ocurrido. Cuando me mudé de casa, el día en que cumplí diez años, los vecinos ya comenzaban a abandonar los bloques porque empezaron a salirles grietas, pero treinta y un años después encontré que seguía viviendo gente allí. El patio estaba asfaltado y habían talado el par de pinos que sobrepasaban los cuatro pisos. Los arriates estaban hechos de lajas, y la puerta enrejada de entrada no existía. Todo había cambiado, pero todo seguía igual. Una excavadora —a mí me pareció la misma— abría una zanja idéntica y disponía los mismos tubos de desagüe, montados a lo largo del caballón de tierra. No sabía dónde empezar a buscar, pero pensé que merecía la pena sentarse en el mismo sitio y aprovechar el relente para evocar aquel día de principio de junio en que Tere introdujo su alma en un fanal y lo colocó en la ventanita que daba al jardín delantero, para que yo la divisara a través del tiempo. La casa en que ella vivía entonces seguía mal iluminada, metida en una oquedad vegetal, aunque había luz tras los visillos del comedor. Me senté en una piedra sacada por la máquina y, esta vez sí, me dediqué a mirar a lo alto. El cielo no era tan puro, la luna ya no parecía ilesa y el silencio no ensimismaba tanto como entonces. La mujer que había llamado al programa podía vivir en cualquier sitio de los alrededores. No tenía ningún medio de localizarla. Tampoco hubiera sabido cómo dirigirme a ella, por más que entre nosotros dos las cadenas de televisión ya lo hubieran explicado todo. No hubiese sido necesario mostrar la dirección ni el significado de los recuerdos. Muchas mujeres y hombres necesitan toda la vida para llegar a esa compenetración. Sin embargo, las palabras que uno tiene necesidad de decir nunca encuentran el momento adecuado. Era algo que Bowman repetía cada vez que veía una buena película: no podemos hacer arte con nuestras vidas, por simple falta de oportunidades. Todas las vidas transcurren en lugares equivocados. El arte hay que dejárselo al cine, o a las novelas. A Bowman le gustaba hablar como Robert Mitchum, pero tenía la desgracia de que sus contemporáneos fueran personas, no personajes.

Fui a sentarme en uno de los tubos de hormigón, y observé que los problemas de desconexión con mi biografía estaban empezando a subsanarse. Un furgón de la televisión paró en la esquina y dos periodistas, con cámara, se apearon y vinieron directamente hacia la casa que yo vigilaba. Me subí la bufanda y encendí un cigarro. Tenía a mis espaldas el instituto donde había estudiado el bachillerato, y más lejos, tras una urbanización de chalecitos, el primer colegio al que mi madre me había mandado, sabiendo ya leer. No era un colegio mixto, así que yo partía por la mañana, con mis libros y mi rebanada de Tulicrem, hacia un conocimiento sin mujeres. Por aquel entonces, pasaba a diario por la puerta que tenía ante mí sin saber si ella, Tere, era capaz de someterse a un conocimiento sin mí, ni si algo así podía ser conocimiento.

Los periodistas parecían bastante desorientados. Uno de ellos se acercó a preguntarme:

—¿Es usted de por aquí?

—Lo era.

—¿Sabe dónde vive Teresa Pizarro? —dijo, después de evaluar si eso le servía.

—Creo que ahí mismo.

Indiqué la puerta por la que yo recordaba haber visto entrar y salir a Tere, treinta y cinco años atrás. Me creyó, sin sospechar que aquel *creo* era el pilar más sólido sobre el que se asentaban mis recuerdos. Para mí, Tere nunca había tenido un apellido, ni me había preocupado de averiguarlo. El periodista miró la casa. No me reconoció, por la misma razón por la que nadie lo había hecho desde que puse el pie en mi ciudad: nadie podía imaginarme allí, habitando una perturbadora noche de diciembre. Estaba oscuro, y la bufanda sobre la cara hizo el resto. El chico me dio las gracias y llamó al timbre. Alguien abrió. Preguntaron por un nombre que pareció inverosímil, por un fantasma perdido en mi cabeza al que la televisión, igual que a mí, había puesto fuera del alcance de todo el mundo. Después doblaron la esquina, cámara al hombro, y levantaron un eco que seguiría sonando, en un barrio que vive de ecos, durante días y noches. ¿Teresa Pizarro? Eran de la televisión local. A uno de los chicos lo conocía. No encontraron nada. Las puertas se abrían y cerraban. Las farolas proyectaban silenciosas sombras que cruzaban hacia la deportación. Me pregunté si había pisado alguna vez una Teresa Pizarro aquellas calles. Si mi memoria no me engañaba, si no me había dado un cambiazo en algún momento y se hallaba, mi memoria, presa de un presentimiento grandilocuente sobre aquella niña, o sobre la intensidad con que despertaba, ahora, su nombre. En la segunda puerta supe que la mujer del teléfono no era quien decía ser. Otra invención.

Sin embargo allí seguía, petrificada, mi infancia. Aquel escenario era un viejo patrón marcado con tiza. Delante, la calle que partía hacia el centro de la ciudad, con el patio de corrala donde Pablo Naya y yo competíamos por imaginar qué clase de vida iba a ofrecer cada uno a aquella niña inexistente que buscaban todos los periodistas. El colegio en medio del campo desde el que corría, después de la clase de permanencia, para ver a Penny Robinson en la televisión, tenía las habitaciones del piso alto como iluminadas con velas. Las veía muy lejos, llenas de gente que parecía bajada del cielo. Ahora aquella distancia era toda de asfalto, pero entonces tenía que vadear enormes charcas de carámbano y atravesar páramos dignos de Alan Quatermain.

Frente a un recuerdo del que solo quedaban viejos andamios, pensé que pronto tendría que volver con mi familia, para celebrar la navidad. Mi mujer y mi hijo me esperaban. Madrid me esperaba, pero no podía dejar abandonada en un remoto andén de mis orígenes la carta de Pablo Naya. Naya era uno de esos cronistas que conservan los detalles que faltan en los momentos cruciales y olvidados. Ahora los necesitaba. Esos detalles no podían caer en manos de quienes me habían robado la carta, de quienes después la habían comprado.

Cuando los periodistas se fueron inicié la vuelta a casa de mis padres por un camino impuesto por la pura nostalgia. El campo había desaparecido, pero el asfalto estaba lo bastante mal iluminado para que alguien ávido de recordar extendiera sobre él las sombras guardadas durante tantos años. Enfilé la acera, bordeada por una verja de alambre, que durante toda mi niñez había marcado el camino hacia el colegio, y también el retorno, a las seis de la tarde, al universo que surcaba Penny Robinson en el *Júpiter 2*, más acogedor que el hogar donde me daban de comer. La acera de medio kilómetro se extendía entre un instituto de formación profesional y una vieja estación enológica que aún se mantenía en pie. El recuerdo era un camino esmaltado de avena loca por el que perseguí, curso tras curso, junto a Pablo Naya, los saltamontes de alas rojas y azules que aparecían en junio. Ahora todo estaba en tinieblas, excepto la trasera de algún hotel. Apenas quedaban pespuntes escondidos de lo que había vivido en aquellos años. El camino acababa en un caserón deshabitado en mitad del campo que a los niños nos amedrentaba como un palacio de los Cárpatos. Tenía la puerta entornada y un piano en medio de un salón que con el tiempo fue volviéndose cobertizo. La casa fue derruida por aquella época, y la charca frente a ella cegada, para construir naves industriales. Recordar emociona más que vivir. La vida está sobrevalorada, por culpa de los románticos —sostiene siempre Bowman—, aunque con los recuerdos al menos podemos hacer una película que solo nosotros vamos a ver.

Mi vida, ahora, la armaban los demás, gente desconocida, esa Catwoman, ese falso seminarista de la corbata amarilla, ese pájaro bicéfalo que surcaba cielos sin grandeza, esos tipos que llevaban sombreros de ala ancha cuando no había sol, para esconder la mirada. A fuerza de llenarse de trampantojos, mi vida había extraviado a su protagonista. Me pregunté cuántos hombres y mujeres se habrían hecho ilusiones con la aparición inesperada de un primer amor como Tere. Ella no fue a la escuela, la perdí antes de que la cultura la mancillara, así que para mí nunca aprendió a leer. Se mudó de casa y Pablo Naya y yo la buscamos durante meses. Ambos éramos soberbios y románticos. Hijos de obreros, pero habíamos leído a Lautreamont, o estábamos ahorrando ya para comprar sus libros. Lo único que podía quitarnos a una mujer era el hijo de un rico, así que la buscamos sin resultados por las calles más céntricas. Vivimos el siguiente lustro como si fuéramos a encontrarla al doblar una esquina, maniatada por sus privilegios sin ideales, pero nunca volvimos a verla. El recorrido del camino hacia el colegio, en mitad de diciembre, me devolvió aquella emoción, y recordé haber tenido el mismo sobresalto contemplando la tumba de Beatrice Portinari en la capilla en la calle Sta. Margherita de Florencia.

La puerta de coches de mi antiguo colegio estaba cerrada, igual que la principal. Mi vida pública jamás llegaría hasta allí. No traspasaría su umbral. Aún se impartían estudios en aquel complejo, pero ya no había estudiantes internos. La hectárea del enorme patio de recreo, con su perímetro alambrado, recorrida por tantos ángeles sucios, seguía intacta, como si aquel trozo de tierra me hubiera reconocido. Estaba llena de olores olvidados. ¿Por qué el pasado desaparece durante tres décadas para manifestarse durante dos segundos, con un simple olor, mucho más vivo que cuando lo vivimos? ¿A qué huele un pájaro? Sabía que la respuesta a ambas preguntas era la misma. Si tuviera dinero, le había dicho una vez a mi hijo, construiría los platós de todos los recuerdos perdidos. Seguían en mi cabeza con tanta fuerza y tantos matices que lo único que necesitaba para ponerlos en pie era eso, dinero para comprar *atrezzo*. Levantar la apariencia de aquella casa del piano, embaucar al cansancio y al tiempo con una maqueta envejecida con betún de Judea. Es ya el único modo de que alguien se meta en ella a pasar la noche.

A la mañana siguiente desperté en la habitación que había abandonado a los dieciocho para ir a la universidad. Mi madre me comentó desayunando que la salida de la noche anterior me impidió ver, en televisión, las imágenes de dos novias mías perseguidas por *paparazzi*. Otras dos, distintas a éstas últimas, habían llamado al programa.

—¿Qué dijeron?

—Que todo lo que se había dicho de ti sobre esa Penny era cierto, en eso estaban de acuerdo —dijo mi madre—, pero no comprendo.

—¿Lo de Penny?

—Que no se pusieran de acuerdo en quién eras tú. Una decía que eras el señor de las gafas.

—Entonces las verdaderas tenían que ser las perseguidas.

— No conocí a ninguna.

—Seguro que con alguna tomé café —dije, para tranquilizarla.

—Otra se quejó de que un señor que está escribiendo un libro la persigue para que le cuente cosas de ti.

—¿Qué clase de libro?

Me incomodaba hablar con mi madre como si todavía fuera un adolescente.

—De esos que ahora gustan a la gente…

—¿Qué preguntas le hizo?

—A la pobre chica le preguntó por tus novias, excluyéndola a ella, claro, pero ella dijo que ese detalle no le importó.

—¿Dijo cómo se llamaba el tipo?

—No me acuerdo.

Se lo preguntó a mi padre. Tampoco recordaba el nombre.

Por la tarde mi esposa llamó para decirme que el mismo individuo la había telefoneado esa misma mañana, con la pretensión de celebrar una entrevista, no conmigo, sino con ella. Lo que yo tuviera que decir no era tan importante como lo que ella tuviera que ocultar. ¿Qué podía revelar él, como periodista, si era yo el que hablaba? ¿Dónde estaba la exclusiva? Lo curioso es que no había estudiado periodismo, ni sabía cómo vestirse para que la gente con la que hablaba le confundiese con cualquier otro.

—Parece un personaje de *El prisionero de Zenda* —señaló mi mujer, como si Bowman se lo hubiese soltado.

Sin embargo, el libro que quería escribir era periodístico. Recordé las sesiones de Capote con Perry Smith en *A sangre fría*, pero —ay— el perfil que aquel hombre quería recortarme era el de las portadas de los quioscos. Era un trabajador en paro al que hablar con gente cercana a mí, diciendo que lo hacía en mi nombre, había conferido cierta especialización. Según mi mujer, se había presentado con cortesía, casi con ceremonia.

—En lugar de pedir una entrevista debería ir directamente a rebuscar en el cubo de la basura —le aconsejó. Después, mi mujer lo mandó a hacer gárgaras, y él amenazó con un montón de frases escandalosas que, según gente allegada a mí, yo había dicho sobre muchos personajes públicos.

—Publicaré todo lo que tengo —amenazó—. A su marido debería importarle si sale bien o mal pintado.

Lo de *pintado* me recordó a los virtuosos de Atocha, con sus cámaras ocultas tras vocaciones inexistentes. Lo preocupante del asunto era que aquel desempleado montaraz, ávido también de esas cosas inexistentes que hoy dan dinero, hubiera hecho hablar a gente que no me conocía, y después los presentase como cronistas de mi vida. Mi vida no tenía cronistas, sino letreros equivocados. Me inquietaba más haber murmurado frases mediocres sobre Dostoievski que insultantes contra el Rey de España. Sin embargo, aquel pocero había entrado en los Ateneos para preguntar por mis sueños eróticos a gente que solo me había oído decir metáforas. Le pedí a mi esposa que buscara la tarjeta que aquel personaje le había dado, y al final la encontró.

—El nombre me pareció vagamente literario —dijo—. José Gaviota, así se llama.

—No le digas aún que mis padres no me han desheredado.

—Naciste sin herencia. No puedes ser ni determinista —dijo, con una voz alimentada de ecos en el teléfono. Últimamente, todos los teléfonos que tenía duplicaban las voces, incluida la mía propia—. No sigues en Madrid, ¿verdad?

—¿Cómo lo sabes?

—Por el acento.

Era una mujer con muy buen oído. Desde hacía ya mucho tiempo volvía a Extremadura por asfixia, a renovar el habla de mi infancia que después desperdigaba por el resto del mundo. Al volver siempre me daba cuenta de que la vida en Madrid era una especie de inmersión demasiado larga, y recuperaba el resuello como un pescador de perlas. Ella siempre advertía ese cambio en el lenguaje.

—He vuelto por cansancio, por desorientación. En realidad, porque me tropecé con un autobús.

—¿Cuándo vas a regresar a casa?

—Me quedaré un par de días más. Intentaré descansar y olvidar.

—No podrás, ni yo tampoco aquí donde estoy.

—Será algo breve. No puedo vivir en moteles, ni pasear contigo y con el niño hasta que termine la sesión de fotos.

—Esto es demasiado ridículo para tomárselo en serio… Por cierto, ¿han encontrado a Tere?

—Se la han inventado.

—Tú puedes vivir así eternamente. Al final tendrás tu argumento, pero me parece insultante que los demás pretendan decirme lo que ya sé de ti.

—A mí no me lo dicen. Soy el que menos importa.

Era una afirmación retórica. Estaba empezando a hacerlas. Mi vida hacía días que funcionaba sin mí. En realidad, era eso lo que me fascinaba.

—Lo sé —dijo, y presentí en aquella pausa cómo abría los ojos. Era su gesto habitual de Casandra—. No seas un mero personaje. Sal de esa trama y escríbela tú. No te van a devolver nada, ni tu pasado, ni los amores que sentiste cuando eras un niño.

—Aún no soy un personaje. Sigo en mi butaca de patio.

—¿Así es como lo ves? Tu butaca está vacía. Lo perverso es que la has pagado. Son los demás los que se divierten. Lárgate de ahí, déjalos a todos con tres palmos de narices...

En la universidad, yo mismo había defendido cosas parecidas. Vivir según los apuntes de Stanislavsky. Ahora, las lecciones de Stanislavsky son la pauta preferida de los jefes de personal de las grandes empresas. Mi mujer trabajaba para uno de ellos. Saben cómo convencer a Bartleby de que haga lo que se le pide.

—Tengo curiosidad por saber qué quieren hacer conmigo.

—Vuelvo a casa —dijo—. Yo no tengo que sacar una novela de todo esto. Vuelvo a mi trabajo y a mi vida. Estar así puede que tuviera sentido al principio, sobre todo por el niño. Ahora...

—Me parece bien, pero déjame antes arreglar un par de asuntos. Me han robado cosas que me pertenecen. Voy a recuperarlas. Después me reuniré contigo.

—Ese bloc no es importante. Dáselo de carnaza.

—No. Si hablan, que no justifiquen lo que dicen con algo que me han arrancado.

—Eso les da igual. Haz lo que quieras, pero no te arriesgues. Esta gente te despellejará si descubre que tomas la iniciativa.

Aún así, me sentía obligado, y era demasiado tentador. Después de veinte años de páginas e invenciones, aquel platillo donde Penny Robinson surcaba el universo me mostraba un camino recto hacia el claro del bosque en que aquellos embusteros, agigantados por la televisión, habían maniatado mis recuerdos. Me pareció que las grandes causas que alimentaban mi silencio no eran nada, comparadas con los dibujitos que hice durante los otoños inolvidables de mis seis y siete años.

Al día siguiente sorprendí a dos de los amigos que seguían en Almendralejo. Ninguno se imaginó que los llamaba desde tan cerca. Uno no me creyó, el otro pensó que se trataba de un chiste radiofónico. Las radios locales gastaban ese tipo de bromas a la gente que me conocía. Con Darío y Ricardo había compartido un fuego que seguía ardiendo. Me habían llamado para ofrecerme ayuda al comienzo de todo, pero no los había puesto al corriente del cambio de teléfono. Aceptaron la desconexión como contempladores insumisos, porque a ellos también los había perseguido la prensa. Percibí extrañeza, como si detrás de cualquier llamada pudiese acechar un interlocutor interesado, cuando les dije que quería verlos. ¿Dónde?, fue la pregunta que ambos hicieron, con diez minutos de diferencia. Donde siempre, propuse. Era un plan descabellado. Les encantó.

El lugar de siempre nunca había ofrecido muchas posibilidades, excepto que era uno de los pocos cafés donde el silencio nos había permitido durante años repetir palabras escritas. La conversación con mi esposa me había infundido sentido de la realidad, así que enfilé las calles solitarias como un sepulturero de Edimburgo, evitando a todo el mundo, y me presenté a cara descubierta. La situación era tan excepcional que los amigos me abrazaron como si todos tuviéramos los pies metidos en las aguas del Jordán. Después de más de veinte años de amistad, parecía que hubiera que romper el hielo, y Darío tenía todas las preguntas en las manos, como un mechón de borra en espera de la rueca.

—Los periodistas ya han pasado por aquí. ¿Cómo es la vida de alguien que no existe?

—¿No se lo preguntaste a ellos? —dije—. Si no existes, no hay mucho que contar. Una vez que rompes las relaciones con tus padres y con tu esposa, el resto viene por añadidura.

—Idílico —afirmó Ricardo—. ¿Y quién es ese tipo que dice que es tu *manager*?

—¿A qué tipo te refieres?

—Al tal José Gaviota. ¿No le has dado tu teléfono?

—¿Tiene mi teléfono?

—Al menos, lo tenía hace una semana.

—Entonces lo encontró en una cuneta —supuse.

—Idílico —repitió—. Te seguía. El sujeto me pareció sospechoso.

—¿Ya entonces me seguían?

—Sabe más de ti que el *I Ching* —dijo Darío, por el placer de crear un puente hacia algo compartido por todos—. Te llamé la semana pasada, pero fue él quien se puso. Dijo que te conocía, que fuiste tú quien le habías dado el teléfono para que se encargara de gestionar tus apariciones en público. Entonces empezó a hacerme preguntas y más preguntas, sin pensar en la contradicción de todo aquello.

—¿Qué contradicción? —pregunté tontamente.

—¿Por qué no te las hacía directamente a ti? Hasta yo, que solo leo a Lipovetsky, caí en la cuenta. Seguía preguntándome cómo había llegado tu teléfono a sus manos. En realidad, fue eso lo que me hizo sospechar.

—Ahora ya lo sabes —dije—: No solo tiene mi teléfono, tiene toda mi agenda.

—Bien, eso explica muchas cosas —dijo Ricardo—. Es bonito sentirse parte de algo, aunque sea de lo que te han robado.

—¿Qué le contaste? —pregunté.

—Nada, que no sabía dónde estabas. Es lo que le ha dicho todo el mundo, que pareces el albacea de Thomas Pynchon.

Darío había dejado su teléfono sobre la mesa, junto a la copa de sol y sombra. Una especie de distancia inenarrable, pues jamás lo soltaba. Lo tomé y marqué mi antiguo número. Fue un arrebato romántico, igual que la curiosidad de contemplar el rastro que deja la propia muerte en el mundo, en los amigos, en el corazón de los demás. Lo tecleé con extrañeza, casi con reticencia. Alguna vez, cuando no podía localizar el teléfono, me había llamado a mí mismo, pero en ese instante me pareció un acto que podía deparar cualquier cosa. Esperé mientras los tonos se repetían, como chillidos de gaviota, hasta que una voz de oficial de máquinas surgió de un lugar surgido del frío.

—Le esperaba hace días, señor Berlioz —dijo. Darío se llamaba Darío Berlioz, como el compositor. Su padre era francés.

—¿Cómo sabía que le iba a llamar?

—Guardar secretos no tiene sentido en la época que vivimos. El señor Guerrero se ha empeñado en ser una tumba, dentro de poco nadie sabrá quién fue.

—Quizá sea eso lo que quiere.

—He hecho averiguaciones —contestó—. Es una persona soberbia. Conozco a la gente como él. Quiere ser recordado, no olvidado. La cuestión es cómo.

—Sí, eso es lo que dicen en la tele.

—Y tienen razón —aseguró aquel tablón de anuncios—. Si la posteridad le concediera una entrevista, iría en pos de ella, fuera en esta vida o en la otra.

—¿Y qué quiere que yo le diga?

—Lo que usted quiera. Solo ponga las condiciones. Le hará un favor a Guerrero, solo hemos de intentar que salga de su escondite.

—¿Qué recibiré yo a cambio?

—¿Qué es lo que quiere?

La pregunta me desconcertó. Había formulado la mía por curiosidad, pero la respuesta abría demasiadas direcciones. Aquel José Gaviota no podía darme nada, pero sí explorar, sin que yo tuviera que exponerme, lugares que me estaban vedados.

—¿Ha visto usted ese programa en el que ha salido la carta que le han robado?

—¿Se la han robado? ¿Cómo lo sabe?

—Yo también conozco a Guerrero.

—¿Se lo ha dicho él, que se la han robado?

—Naturalmente que me lo ha dicho. ¿Cree que solo habla del imperativo categórico?

—¿Es lo que quiere, la carta? —dedujo, con cierta ansiedad—. Pero si va a salir publicada mañana.

—No quiero la carta, sino el álbum de dibujo. Creo que sabe muy bien a cuál me refiero. Consígalo, aunque tenga que tratar con esa mujer a medio hacer que lo exhibe por ahí como si fuera suyo. Si me lo devuelve, contestaré a todas las preguntas que se les ocurran a los dos.

—¿Se lo ha pedido él? ¿Tan importante es ese cuaderno?

Guardé silencio.

—Bien —decidió—. ¿Dónde quiere que nos veamos?

—Le llamaré dentro de un par de días, a este mismo número. No pierda el teléfono. También tiene que devolvérmelo.

Colgué. Los silencios de aquel tipo increpaban. No me pareció probable que conociera a Catwoman; sin embargo, actuaba como si todo estuviera a su alcance. Los retazos de conversación que mi esposa había intercambiado con él ya inducían a pensar que José Gaviota desempeñaba un papel tan predecible como la culpa. Por regla general, yo despreciaba a todos los que desempeñan ese papel.

—Has hecho que me sienta un muñeco de ventrílocuo —dijo Darío.

—Tendrás que dejarme tu teléfono.

—Al menos, estarás localizable. Nunca he visto a nadie desaparecer como tú.

—No he desaparecido lo suficiente. Es lo que me censuran: existir. Pues bien, voy a seguir existiendo. Tiene sus inconvenientes, desde luego. Mis padres coleccionan tarjetas de periodistas.

—Han peinado toda la zona —dijo Ricardo—. Buscando cualquier cosa. Es curioso que solo hayan prestado oídos a los que no te conocen.

—Tendré que volver mañana a Madrid, no sé a qué hora. Te lo devolveré... —dije, tomando el teléfono de Darío.

—No dejes que te quiten la voz —contestó—. De eso se trata.

Pensé sobre el asunto en el camino de vuelta a casa. No me la habían quitado, sino cambiado por otras, por una multitud de voces confundidas, o rebajadas de tono, o metidas en frascos, voces arrancadas al árbol de la suposición y vendidas como si las hubiera dicho con una mano sobre la Biblia. Al llegar a casa, sobre las doce, saqué del bolsillo la llave que mi padre había tenido que prestarme y escuché, abriendo la puerta, una voz tan familiar y tan extraña como las que los periódicos me arrancaban todos los días. Un desconocido hablaba con mi padre en el pequeño salón de estar. Resultó que era Pablo Naya.

—¿Qué haces tú aquí? —pregunté, perplejo.

—Buscar un refugio, supongo. Igual que tú.

—¿Cuánto has llegado?

—Llegué a Madrid esta mañana. Kinshasa tiene más colores, pero la gama de grises que se ve aquí es mucho más rica. Vi tu dirección en la carta que me enviaste, pero han tomado tu casa.

Apenas recordaba el último abrazo que le había dado a un hombre. Hacía al menos ocho años, a un amigo que ahora está muerto. Abracé a Pablo Naya para asegurarme de que estaba allí, porque ambos habíamos alcanzado ya la edad en que el cariño parece cargado de ambigüedades. Además, Pablo venía de un lugar tan lejano como la muerte. Nos habíamos escrito cartas muy circunstanciales, y desde la anterior hasta que me llegó la última había pasado casi un decenio. Mi padre nos observaba, plantado en mitad del salón, con los mismos ojos arrasados en lágrimas con que veía en televisión *El Conde de Montecristo.*

—Si no estabas en tu casa solo me quedaban dos caminos —explicó Pablo—: los padres de tu chica, o los tuyos. No fue difícil: eres tú el que necesita un útero materno.

Me contó su vuelta a Europa, una suma de peripecias. Dos reporteros autóctonos, contratados por otro foráneo, se habían subido a un elefante y lo habían esperado a las puertas de la embajada. Después de perseguirlo por las calles embarradas de

Kinshasa lo habían atrapado en la recepción de lo que parecía un hotel y resultó ser un prostíbulo.

—Al principio pensé que era gente peligrosa —me dijo—, pero cuando consiguieron acorralarme se limitaron a preguntar quién era Tere. ¿Tere?, les pregunté, ¿queréis que os cuente mi infancia? Me contestaron que la que querían era la tuya. La pregunta siguiente fue por qué no te hablabas con tus padres. ¿Qué le pasa a esa gente?

—Creen que soy otra persona. Me robaron tu carta, por eso te persiguen.

—No me gustaría estar en tu pellejo.

—No es para tanto. Es fácil decir tonterías en las revistas. Si no las dices, las inventan y las publican.

Naya había reservado una habitación de hotel, y alquilado un coche. Al día siguiente, a media mañana, nos pusimos camino de Madrid. Aquella breve incursión en mi pasado me recordó un cuento árabe que mostraba lo necesario que es alejarse para ver lo que se tiene cerca. Le pedí a Naya que me ayudara con José Gaviota. Los únicos planes audaces que había preparado a lo largo de mi vida tenían por objeto las mujeres. Eran planes de soñador, o de macho cabrío, que nada tenían que ver con lo que ahora precisaba.

—¿Por dónde empezamos? —me dijo.

—Si te embarco en esto, puedes poner condiciones.

—Si encontramos a Tere, es mía —dijo—. Yo sigo soltero.

Pese a su generosidad, era muy consciente de que ser agregado cultural estaba bien para una novela de John Le Carré, pero de nada servía en platós de televisión donde lo único que se dirime es la lucha entre la estupidez y el olvido.

—Puedes terminar igual que yo —le advertí—: En las portadas de las revistas, diciendo lo contrario de lo que piensas.

—¿En qué crees que consiste la carrera diplomática?

—Bien, entonces empezamos por Lavapiés —dije.

Me instalé en su piso de la calle Valverde. Estaba demasiado cerca del hostal Nuria, pero tuve que arriesgarme. Los periodistas siempre dejan balizas, un portero, un camarero dispuesto a levantar un teléfono, aunque el desenlace en el hostal había sido tan desalentador que dudé de que siguieran interrogando al recepcionista. La familia de Naya había vuelto a su hogar de provincias, y él había heredado el piso de la calle Valverde. Tenía aún tres maletas sin deshacer encima de la cama. Casi tomó posesión de la casa en mi presencia. No vivía allí desde hacía al menos cinco años, me dijo. Sin embargo, el día anterior había comprado cervezas. Estuvimos bebiendo y mirando el edificio de Telefónica por un ventanal extrañamente concurrido de luces.

—¿Te han obligado a venir? —le pregunté. Era una cuestión que me preocupaba.

—Estoy bastante harto del tercer mundo. Pediré un nuevo destino. Si no me lo dan, iré en busca del mío... Tú no lo tienes tan fácil. Ni solución, ni escapatoria... ¿Qué vamos a hacer en Lavapiés?

—Ver a un tipo, pero un poco más tarde.

No antes de las doce nos presentamos en el locutorio de la calle Tribulete. Llevaba tres años en Kinshasa, pero a Naya le pareció que no había salido de allí. Lavapiés era el mejor lugar de Madrid donde hablar otra lengua.

—Aquí se cocina todo lo que los ricos comen en Kinshasa, y se respira la misma desigualdad —dijo. El locutorio estaba tan atestado como la pista de patinaje que habían improvisado en Callao, y silencioso como una ceremonia de extremaunción. La nieve empezó a caer en el momento que entramos. Naya se sobresaltó.

—Nieve —dijo—. Hace dos años que solo veo la del frigorífico de la embajada. Ya ni siquiera la hay en el Kilimanjaro.

—Hemingway no tiene por qué enterarse.

Encontramos al Hemingway de Lavapiés frente a la misma pantalla en que lo dejé. Una rubia algo entrada en años hablaba con él en ruso. Las palabras aparecían traducidas en la franja inferior. El programa enseñaba brevemente el cirílico, y algo semejante a la magia lo convertía al castellano. Un corro de espantapájaros abstraídos y, pese a ello, muy implicados en el espectáculo, no le quitaba ojo a la chica.

—El coro griego —dijo Naya, que venía de un lugar en que la cultura aún significaba algo.

El tipo era el que buscábamos. No sabía su nombre, pero el botellín de cerveza que descansaba junto al teclado alumbraba como un faro en una noche de galerna. «Tengo muchas amigas, puedes traer a todos esos», decía la rusa. Me acerqué y le dije:

—¿Qué pasó con Catwoman?

Dio un trago al botellín y me dirigió dos ojos que parecían haber estado todo el día contemplando una plantación de peyote. Sus sentidos buscaron, durante un instante, algo que me relacionase con ella, con Catwoman.

—¿Quién coño eres? —dijo—. ¿Y quién es esa Catwoman?

—Lo sabes muy bien. Hablaste con ella, ¿no? Ven, te invito a algo mejor que esa mierda. Si resistes un par de vasos, te regalo el frasco.

—¿Resistir? Estás hablando con un partisano —dijo, desentendiéndose de la chica en cuanto vio la petaca de absenta que le mostré. La había encontrado en casa de Pablo, entre dos filas de libros, seguramente puesta allí por sus padres cuando montaron la biblioteca. Los libros apoyados en ella conservaban la comba de los años. Además, la etiqueta tenía el marchamo de los descubrimientos. *Absinthe*, rezaba. Los rastros de humedad no dejaban un resquicio de duda sobre su procedencia: la mismísima bodega del Nautilus.

Lo arrastramos fuera del locutorio, e inmediatamente otro asiduo se puso a hablar con la rusa, quizá porque al botellín le faltaban aún cuatro dedos de cerveza. A la rusa no le importó. Cedió el puesto frente al teclado a una amiga que tenía el pelo corto y verde, y también compartía el vaso de vodka.

—¿Qué te dijo?

—¿Quién?

—La chica de la televisión.

—Me confundió con otro, con un tipo llamado… —intentó recordar, pero había demasiada diferencia de temperatura entre la calle levemente nevada y el interior de su cabeza.

—Eso no importa, ¿qué le dijiste?

—Que yo era el que era, que no había ido a hablar de terceras personas.

—Toma un poco, para entrar en calor —le ofrecí—. Me recuerda cosas del pasado.

—¿La absenta? La he probado, en la calle de Ruiz —dijo—. Muy buena.

—Bébetela, y no necesitarás ningún locutorio.

Naya se sirvió en un vaso de plástico. También a él le recordaba solo cosas perdidas. No entendía mi proceder, pero se mantuvo a la espera de que acabase la improvisación. Sin duda, pensó que aquel tipo que miraba la nieve como un eremita de otro planeta jugaba un papel pintoresco en algún escenario oscuro que él, recién llegado, desconocía.

—Dime todo lo que te dijo. Te daré dinero, para que cuando hables con esa chica de San Petersburgo parezca que tienes en el bolsillo al menos para una noche de hotel.

—¿Eres tú el tipo del que tenía que hablar en televisión? Aquella pécora dijo que me llevaría a la televisión a que hablase de ti.

—¿Por qué? —le pregunté.

—Por las cosas que sabía.

—¿Yo?

—No, yo, sobre ti. Me dio permiso para decir hasta las que no sabía. No veo mucho la tele. Mi mujer sí, mi mujer conocía a la chica.

—¿Qué te preguntó sobre mí?

—Ya te he dicho que al principio pensaba que yo era tú. Hasta me encontró cierto parecido. Cuando se enteró de que no, se puso a correr como una gallina apedreada.

—¿Dónde os encontrasteis?

—En la Ciudad de los Periodistas. La tipa vive por allí. ¿Acaso no es periodista? Tenía apostado a un tipo que me sacó una foto.

—Llévanos.

—¿Ahora?

Le enseñé diez billetes de diez euros. Los había reunido a propósito. El dinero siempre marca el mismo camino, pero quien lo recibe cree que ha tenido la libertad de decidir las bifurcaciones.

—Estaremos allí en menos de media hora. Después podrás seguir hablando en ruso con esa rubia de San Petersburgo.

Una noche de cien euros es una noche intensa y eterna en Lavapiés, al menos para un tipo como él. Aunque no se pueda tocar a las mujeres, se tiene lo bastante para jugar con ellas a la gallina ciega en la Avenida Nevski. Los tomó con rapidez, y entonces le pregunté cómo se llamaba.

—Tomacito —dijo. Se montó confiadamente en el coche de Naya y señaló a un punto ubicado más allá del Barbieri, hacia el final de la calle Ave María, como si fuera el puerto espacial de Mos Eisley.

—¿Que quiere decir eso de que se puso a correr? —le pregunté. Me había acostumbrado al modo que tenía la televisión de enseñar los peores perfiles de todo el mundo. Verla correr ocupó mi imaginación por entero, desalojándola de interpretaciones y remplazándolas con viñetas de una tira cómica. Eran la referencia de lo que yo debía ocultar de mí mismo—. ¿Eso fue lo que hizo?

—Primero se dejó sobar, ya te lo he dicho, hasta que descubrió que yo no tenía fotos, ni cartas, ni negativos... Entonces empezó a insistir en lo de la televisión.

—¿Por qué no fuiste a la televisión? ¿No te ofreció nada a cambio?

—Fui.

—¿Fuiste? ¿Te sentaron en un plató?

Tomacito, sin desatender la botella, no bebía con mucha convicción. Había entrado en la absenta como en un baile demasiado ceremonioso y *demodé*. Le gustaba el espectáculo, pero había ido a sentarse en una silla y contemplaba todo desde la distancia.

—¿Qué estabas haciendo cuando el tipo escondido te tomó las fotos? —volví a preguntarle. Las luces de La Castellana le subían por la cara y se alojaban en el ámbar de la botella.

—Intentar meterle mano a la chica —dijo Tomacito—. Es lo que hice todo el tiempo. Tiene buenas piernas, pero es de las que creen que vale con enseñarlas. El fotógrafo podría haberme matado, pero ella lo convenció de que yo era una mina de oro... Bah, es de esas que preguntan demasiado para hacer feliz a un hombre. Mi mujer nunca pregunta, aunque tampoco me haga feliz.

Pasamos frente al rótulo del Canoe. Esa noche la entrada principal del edificio estaba lleno de limusinas. En algún piso se celebraba que todo sigue igual. Ese Madrid era nuevo para Tomacito. Se le notaba en las facciones. La vez anterior lo había recorrido en metro, así que ahora todo le parecía haber salido de la botella de absenta, como el genio de Simbad. Cuando llegamos a la Ciudad de los Periodistas, Pablo tuvo la intuición de parar en la entrada del metro. Allí, Tomacito tomó las riendas de su vida y dijo:

—Por aquí.

Echó a andar por Ginzo de Limia en dirección a Alfredo Marquerie. Tres minutos después llegamos frente a un portal donde terminaban dos hileras de boj, alumbrado como el zaguán de *Historia de una escalera*. El hombre y la mujer que hablaban tras la puerta acristalada no se dieron cuenta de que estábamos allí, y Tomacito agachó la cabeza como si fuese mejor que eso siguiera así. Pablo y yo lo imitamos. Fue un acto reflejo, pero pronto reparé en que ella era Catwoman. Sus mallas de adolescente de treinta y nueve años la delataban. El individuo con quien hablaba se apartó y el álbum de mi infancia brilló bajo su brazo. José Gaviota, pensé. Pablo era el más sorprendido. La carrera diplomática lleva a muchos al borde de lo inconfesable, pero Naya me miraba como si fuese demasiado pronto para él. Oímos en sordina la conversación que mantenían. Ella le decía que si había accedido a darle los dibujos necesitaba garantías de que a cambio iba a obtener una entrevista, y él aseguraba que yo iría a los platós.

—¿Cómo lo sabe? —preguntó ella.

—He hablado con él— dijo Gaviota—. Por teléfono.

—¿Está seguro de que era él? Tiene más dobles que Hitler.

—Estoy seguro de mis intuiciones— contestó aquel oportunista—. Dijo que era un amigo suyo, pero supe al instante que me engañaba. Era él. No puede confiar en nadie. Aquí tengo su teléfono, sus contactos. El tío está obsesionado con este álbum. Úselo como anzuelo. Estos dibujitos lo sentarán ante cualquier maquilladora.

—Lo dudo— dijo Catwoman—, y menos después de que esa foto se publique. Desaparecerá. No volveremos a verlo. He propuesto en la redacción que la mantengan en espera una semana, pero el director dice que es imposible: estamos perdiendo audiencia.

—Entonces hágalo antes de que se entere.

Dos depravados que se tratan de usted, pensé. Pablo Naya me inquirió con los ojos, pero yo no sabía a qué foto se referían. Podía tratarse de cualquier cosa. Fuera de ese mundo que ella y José Gaviota encarnaban, yo había pensado alguna vez, como simple espectador, en la posibilidad de sacar algún provecho, en vender mi ridículo por una cantidad razonable. Ahora veía que era imposible. Ni el ridículo ni la cantidad se quedaban nunca en lo razonable. En esos sitios uno nunca vende nada, se vende uno a sí mismo.

Tomacito estaba serio. Me hizo un gesto, como la muerte en Isfaham. No había contado con sus ocurrencias. Seguía, agazapado y en silencio, dándole vueltas a la cabeza. Del bolsillo del pantalón le sobresalía el gañote del frasco de absenta. Él era el hombre de acción que yo habría querido ser, un Stevenson con el pelo teñido por las luces de miles de pantallas de locutorio. Acuclillado, bordeó la hilera de boj y fue hacia la puerta. Había visto la forma más fácil de hacerlo todo. Las consecuencias solo importaban para un diplomático sin futuro, o para un escritor cuyo único tema era la imposibilidad de escribir. Tomacito no veía las diferencias entre un acto y una frase, y yo estaba seguro de que las pocas frases que había dicho ese día se habían perdido como vírgenes sonámbulas en trenes hacia San Petersburgo.

Lo que aconteció a continuación fue cervantino. Catwoman estaba intentando que José Gaviota tomara conciencia de las posibilidades existentes. Ambos me veían al final de todas ellas, sin saber que yo estaba bastante más cerca. Lo único que me separaba de la puerta que Catwoman entreabría mientras hablaba dejó entrar a Tomacito. Iba algo achispado. La absenta restaba fracaso a su vida. Seguramente pensó que aquella chica que salía en televisión se le había escapado la última vez, por eso tomaba iniciativas de burlador con cien euros en el bolsillo. El giro de la puerta le permitió arrojarse contra Gaviota y, con un movimiento de contorsionista, arrebatarle el álbum. José Gaviota se vio sorprendido, y Catwoman lo reconoció, quizá porque había hablado equivocadamente de él a lo largo de tres programas. Tomacito era su víctima, y ambos lo sabían.

—¿Pero qué haces tú aquí? —gritó.

José Gaviota forcejeó un instante, y mi teléfono salió disparado y cayó sobre la tierra del jardín, como algo concedido por el destino. Yo sabía que Tomacito volvería al coche, y su perseguidor se cansó. En la esquina se detuvo a mirar cómo escapaba, y Catwoman descubrió que estábamos allí Pablo Naya y yo. La verdad es que me había hartado de estar en cuclillas. Me levanté y ella me miró a los ojos, pero se dio cuenta de que no había nada que decir. Su oportunismo en Atocha, y sus comentarios de deshollinador en televisión la habían desposeído de aquel cuaderno que solo valía lo que yo ofrecía por él. Los análisis psicológicos y comentarios en televisión se habían vuelto profundos, la profundidad siempre resta audiencia. El álbum le sobraba, no aportaba ningún asomo de duda. Contenía claves, pero claves que nunca llegarían a ser morbosas. Catwoman supo además, mientras sostenía aquella mirada de esfinge despechada, que no podría hablar de lo que pasara aquella noche. Nadie iba a creerla. El periodismo a que ella pertenecía siempre sobreactúa. Esa fue la razón por la que me desveló lo de la foto, el puro despecho. La reconcomía perder el álbum, tanto como no poder contar ante millones de espectadores que el hombre más buscado le había arrebatado, de forma tan audaz, un objeto que ella había robado anteriormente. No había modo de presentar aquello de forma que ella no pereciese aplastada por los escombros, así que se permitió el placer de enseñarme la foto. La había tenido en la mano en todo momento, casi para que pasara inadvertida. La levantó a la luz y dejó que algunos copos de nieve resbalaran por una imagen que yo conocía muy bien. Vi un cuerpo atravesado de franjas, las de la persiana que veinte años atrás había tamizado la piel de Laura. Yo estaba a su lado. Esa era la foto que iba a salir publicada. La mantuvo en alto, por si me rebajaba a quitársela. Su triunfo sería doble, porque la foto estaba ya a salvo en la edición del día siguiente. Naya me tiró del brazo y empezó a marcharse. Preferí seguirlo, antes de que José Gaviota tuviera motivos para creer lo que ella iba a contarle. Sin embargo, aquella prisa que nos entró la llenó a ella de soberbia. Se encaró con Naya y le dijo:

—Has debido quedarte en Kinshasa.

Naya prefirió no contestar. Era un hombre amasado por el protocolo; sin embargo, aquella foto tenía significados que formaban parte de lo que había marcado su vuelta y amenazaban con convertirlo en un invitado a la vida de otro. Naya no conocía a Bowman, ni a Laura. No podía anticiparse a ninguna avalancha, por eso se mantuvo a distancia y solo me dijo:

—Vamos a por tus garabatos.

Catwoman les había sacado ya todo el partido, pero perder algo que parecía esencial a su víctima la sacaba de sus casillas. Solo tenemos nuestros prejuicios, solía decir Naya. Comprender era connatural al periodismo, y ella había dejado de hacerlo. Camino del coche, empecé a preguntarme por la conducta de Tomacito. Era un peón en la partida, pero había atacado con el movimiento de una reina. No habría cambiado el álbum por una agenda con las direcciones de todas las rubias del mundo. Nadie había mencionado el álbum ni antes ni ya en la Ciudad de los Periodistas. Tomacito, sin embargo, había venido a por él, así que cuando llegamos al coche y Naya preguntó que dónde estaba aquel tipo tan extraño, el asunto tomó un derrotero distinto.

—Por lo visto, todo el mundo se me adelanta —dije.

—Incluso los que menos pintan en esto —dijo Naya—. Aquí pasa algo raro. ¿Adónde habrá ido?

—Quizá al lugar donde lo recogimos.

Nos pusimos en Lavapiés en media hora. El locutorio estaba atestado, como siempre. Pedimos nuestras cervezas y lo esperamos durante dos horas. Tomacito no apareció. Volvimos al piso de la calle de Valverde. Lo primero que hice fue llamar a Laura. Era tarde, pero supuse que estaba despierta. Tenía cosas que celebrar. Si no, que despertara. Aquella foto la había puesto en contacto con gente nueva. El mundo era ya otro para ella. Estaba doblando una de esas hoces de la vida en que todo lo extraño se vuelve habitual, así que la llamé con el teléfono de Darío. En tales caminos, solo los teléfonos desconocidos son esperanzadores. En efecto, estaba despierta, en un lugar público. El ruido de fondo diseminaba sus palabras como aquellas semillas de la Biblia que cayeron en lugares yermos.

—¿Por qué has vendido mis fotos?

No colgó el teléfono.

—¿A ti qué te parece? Por dinero —gritó, en medio de una multitud—. Recuerda, estoy separándome. A ti no te va a perjudicar.

—Cierto, no más de lo que ya me perjudica todo.

—He firmado para hablar en diez programas, entiéndelo.

—¿Hablar sobre qué?

—Sobre ti, pero no diré nada que te comprometa. Siempre estaré de tu parte.

—Dirás lo que ellos quieran, has firmado para eso. A mí todo me compromete. ¿Sabes las implicaciones que pueden tener esas fotos de hace veinte años? No sabes nada.

—¿A qué te refieres? Solo estamos tú y yo.

—¿Tú y yo? Y también mi pasado, y mi futuro. No tengo presente, han acabado con él. Al menos vas a dar sentido a esa evidencia.

—Exageras. Todos los escritores sois iguales.

No había más que añadir. Me despedí de mala manera y colgué, y pensé entonces que uno mismo cambia a veces ante el espejo de la misma forma. Lo pensé no con la intención de justificar a Laura —en realidad, ya no sabía si era la misma Laura—, pero las razones que explican esos cambios son idénticas a las que nos hacen sospechar de ellos. Naya me miraba desde el pasillo.

—Si hubiéramos encontrado a Tere, te la habría cedido —le dije—. Tu estado civil tiene ciertas ventajas.

La noche siguiente encontramos a Tomacito sentado en el mismo sitio y a la misma hora, frente a la rubiaza. Volví a acercarme a él y le puse encima de la mesa otra petaca de absenta.

—Tardabas en llegar —dijo, con la lengua como una cinta de ventilador—. Todo ha sido culpa de mi mujer. No hacía más que hablarme del dichoso cuaderno. Toma.

Me puso en la mano cuatro de los diez billetes de diez euros que le di la noche antes.

—Quédatelos. Quiero el cuaderno.

—Lo tiene ella.

—Ve y dile que te lo devuelva.

En el locutorio no había televisión, pero a través de la ventana del restaurante indio del otro lado de la calle los contertulios de siempre hablaban de lo mismo, del platillo volante donde yo había enjaulado todos mis prejuicios y manías, o mi libido. Era lo único que merecía ser salvado por la posteridad. Nadie prestaba atención a esas imágenes grabadas, pero yo sabía que al menos la mujer de Tomacito estaría hojeando el álbum y comparándolo con lo que aparecía en aquella lápida de epitafios renovables que era la pantalla de televisión.

—No va a dármelo, pero tampoco va a vendérselo a esa gente —dijo Tomacito.

—¿Cómo lo sabes?

—Es una fetichista. Robaría un Goya porque sale en la tele, y lo colgaría en la cocina, para que las vecinas lo vean.

—Dile que se lo compro.

—A mi mujer no le interesa el dinero, solo los que lo tienen. Ya sabes, esa gente que sale en las revistas. Ahora está obsesionada con una foto que dicen que va a dar mucho que hablar.

—Debiste negociar conmigo antes de llevarle el cuaderno. Creí que eras más listo.

—Así estará callada una temporada —dijo, sin perder ripio de lo que la rubia le decía—. No me deja ni salir a tomar una cerveza.

—Yo le daré esa foto. Se la cambiaré por el álbum.

—¿La tienes?

—Aquí mismo. Recuerda que soy yo el que sale en ella.

—Te hago un favor —dijo, recuperando de un manotazo los cuatro billetes que yo aún tenía en la mano—. Enséñamela.

Tiré de la cartera y extraje una foto de época algo posterior a la que anunciaban todos los mentideros. Se la había ganado a Bowman en una partida de póker. En ella, Laura aparecía desnuda de medio cuerpo, sentada a una mesa, con un abanico de naipes en la mano, entre Bowman y yo. Aquel día no tuvo suerte con las cartas. Bowman y yo seguíamos con toda la ropa puesta. La foto encandiló a Tomacito. Al menos, le pareció que sería suficientemente escandalosa para su mujer si, en efecto, alguno de los que aparecían en ella había salido alguna vez en televisión. Nos pidió que le esperáramos. Se llevaría la foto y traería el álbum.

—La foto se queda aquí —dije—. Descríbesela a tu mujer con todo detalle. Dile que salgo en una situación bastante comprometida, junto a una tía con los melones al aire, poniendo cara de fauno. Yo, no la tía de los melones. La foto es la original, de cartón, con la fecha detrás escrita a mano. Pone: 1986.

Tomacito se largó convencido de que la transacción convendría a su mujer. Naya y yo nos sentamos a hablar con la rubia de San Petersburgo. Estaba reuniendo a todos sus admiradores para proponerles que fueran a visitarla el mes siguiente. Todos parecían entusiasmados, porque ella personalmente iría a recogerlos al aeropuerto y los llevaría por la avenida Nevsky al café donde se rodaron algunas escenas de *Doctor Zhivago*. Descubrí, por la conversación de los participantes en el foro, que no sabía quién era Pasternak, pero sí Omar Sharif. En eso se parecía a la cónyuge de Tomacito.

—¿Vas a dársela? —me preguntó Pablo Naya.

—¿La foto? ¿Por qué no? Si sale a la luz, al menos me desquitaré. ¿Acaso no aparece Laura en paños menores, como en la otra? Si no, prefiero que se quede en la cocina de Tomacito.

—No se quedará en su cocina. Creo que ese tipo ha omitido lo más importante.

Tomacito volvió con el álbum, al cabo de diez minutos, y lo puso junto al teclado. Parecía que le habían arrancado algunas hojas. No supe cuáles, seguramente las que más amarillo contuvieran. Daba igual, porque Tomacito dio el primer trago de absenta. La absenta me quitó el álbum, la absenta me lo devolverá, pensé. No se aseguró de que los melones de Laura siguieran en la foto, así que tampoco se dio cuenta de que la foto ya no era la foto, sino otra que había arrancado de las que se exponían detrás de mí, en el tablón de anuncios del locutorio. Le enseñé la verdadera, pero él guardó en su cartera un sucedáneo, y continuó la conversación con la mujer de San Petersburgo. Por supuesto que iría a verla, ahora que tenía algo que iba a darle mucho dinero, escribió. Naya, que no había reparado en mi maniobra, se quedó junto a mí en espera de que quizá hubiese planeado algo.

—Si lo agarras de esa forma lo vas a romper —me advirtió, viendo que tenía el álbum aferrado por una esquina que se doblaba en torno a mis dedos. Lo abrí y apareció el dibujo del platillo volante y, en la hoja opuesta, el rostro a lápiz de Penny, con sus ojos tristes y sus trenzas demasiado concienzudas. El rostro era expresivo, pero las trenzas escapaban a mi comprensión, lo cual me hizo pensar que yo me había enamorado solo de sus trenzas. Las trenzas eran suyas: el mismo brillo fragmentado por la luz de otros soles, y las puntas recogidas frente al mismo espejo donde su seguridad femenina colocaba cada mañana el listón de aquel flequillo recto. En uno de los márgenes, alguien había añadido notas. Pensé en aquel psicólogo de los famosos. Esos individuos necesitan notas que solo ellos descifran. Esta vez quizá hubiera dado en el clavo: todo en aquel álbum eran enigmas. Con él recuperaba no mi habilidad para encontrar, sino para perderme.

—Vámonos —le dije a Naya.

—¿No vas a recuperar la foto?

—Ya la tengo.

Me siguió, pero antes dijo:

—La mujer de ese tipo puede fastidiarte a base de bien. Sabe demasiadas cosas.

—Todo eso me da igual —le dije. Era cierto. Cada vez me hundía más en la indiferencia. Los pies pintados en el suelo, que había pisado de meridiano a meridiano sin preguntarme por qué, se desdibujaban al paso de los días. Ya no los veía, ni me importaban.

La foto de Laura que Catwoman me había mostrado salió publicada al día siguiente. Insertaron, en la misma página, la que me habían tomado abandonando el hostal Apolo por la puerta trasera. Una era casi tropical, la otra parecía un fotograma de *El espía que surgió del frío*. Sin embargo, las conexiones se mostraron con toda claridad. La verdad siempre resplandece. Las revistas no declaraban las mentiras de José Gaviota, ni la lucha de Catwoman para conquistar su propia infamia, ni la falsedad de los repartidores enviados a los platós de televisión, pero en aquella página con las dos fotos estaba todo, como un esbozo inevitable que nadie podía entender, pero todos veían.

—No te convienen demasiado los amigos que tienes.

—Si lo dices por Laura, la pobre no tiene mucho margen.

Había recobrado el álbum, pero tenía que agradecer que me lo hubieran robado. De otra forma, era muy probable que no hubiese reaparecido en mi vida. A mi infancia le pasaba lo mismo. Había recuperado los vestigios equivocados de Tere, al propio Naya, aquel retrato de Penny Robinson, dibujado por un niño que había vivido sin pensar en los patéticos cambios que la posteridad iba a infligirle. Las pistas dejadas para el milenio siguiente estaban apareciendo tres decenios después, en lugares que nada tenían que ver con la literatura, lo único, para ese niño, grande y sagrado a la vez. La mirada de Naya me preguntaba lo mismo. Me preguntaba si la escritura, la literatura, con todo el tiempo que se había llevado de mi vida, seguía siendo lo mismo, grande, pura y sagrada. ¿Existían aún esos adjetivos? ¿Existía algo que los mereciera?

Naya, que nunca ponía la televisión, se pasó el día delante de ella, igual que un payaso sumido en la tristeza. Cambiaba los canales como si beber la cerveza que tenía sobre la mesa justificase aquellas idas y venidas. Tenía un sexto sentido para las trampas de la vida, por eso se había dedicado a la diplomacia, así que cuando vio aparecer a Laura en la pantalla me lanzó un silbido y dijo:

—Aquí está tu Salomé.

El canal televisivo era, como supuse, de los que cierran las ventanas para que los televidentes no aprecien que la vida es infinitamente más interesante fuera de su plató. Sentaron a Laura en un banquillo cuya comodidad se notaba que era solo aparente, y la rodearon de los fantasmas habituales. Allí estaba Catwoman, con una sonrisa contenida por lo que no podía decir, dibujada por lápices amarillos. Allí apareció el psicólogo de los famosos, con una de las páginas que faltaban en mi cuaderno de dibujo, para probar que la gente corriente podía, al menos, presumir de enfermedades poco corrientes. Noté a Laura nerviosa, como si no estuviese segura de acordarse de todo lo que le habían dicho que dijera. Su cara era la única que no brillaba. Parecía desmejorada y pensé que quizá le hubieran acortado con un serrucho las patas del sillón. Esa gente se las gasta así. Apenas fue presentada. Era la foto lo que aportaba antecedentes. Su historia no iba más allá de la propia foto. Nombraron, por supuesto, la revista donde había sido publicada, con la seriedad de una bibliografía, y acto seguido le preguntaron si ella era mi amante, pues todo el mundo sabía que yo tenía esposa. Laura miró a la cámara como si estuviera conversando conmigo, como si las extrañas predicciones que le había anunciado la noche anterior repitieran las cuentas de un rosario sin misterios, apabullante y predecible.

—¿Quieres que lo apague? —me preguntó Naya.

—Si, por favor.

Sabía que mi esposa no estaba viéndolo. Había renunciado a poner la televisión, a leer revistas y a contestar a teléfonos sin remitente. Era una isla en el océano, cuyas playas yo aún no podía pisar. Mi hogar era el único por cuyas pareces no trepaba la hiedra de la navidad. Lo rodeaba una guarnición de troles con cámara, y lo único que conectaba directamente con el anonimato era el humo que salía de la campana extractora de la cocina. Mi esposa también había dejado de llamarme. Era otra forma de dar a entender que seguía donde siempre, que hasta el momento en que me desalojaron de mi casa hablaba conmigo todos los días. Sin embargo, sonó el teléfono y comprobé que era ella. Está viendo el jodido programa, pensé.

—¿Sr. Guerrero? —dijo una voz de hombre—. Soy Luengo, el editor.

En efecto, lo reconocí. Había escuchado esa voz muchas veces, en la radio y la televisión. Tenía un timbre que era habitual para los que ansían la megafonía de la industria cultural, es decir, una voz propia. Le pregunté:

—¿Adónde me llama?

—A su casa. ¿No está usted ahí? —contestó, como si mi pregunta confiriese una gracia irresistible a la evidencia.

Pensé que lo que había ocurrido es que mi mujer había decidido desviar a mi teléfono las llamadas que no reconocía.

—No, estoy en paradero desconocido.

—Entonces es preciso sacarlo de ahí. La gente tiene que escuchar sus historias.

—¿Mis historias, o mi historia? Precisamente es lo que trato de evitar, contarla.

—Tonterías. Yo se las publicaré todas.

—No creí que cambiara de opinión.

—Sé por qué lo dice —concedió, sin abandonar el tono cálido—. Sé que le hemos rechazado dos libros. Me he informado. Por desgracia, ese es el problema de tener en la editorial gente que admira a Stephen King, en lugar de a Proust. Le aseguro que me he encargado personalmente del asunto. He leído yo sus novelas, y voy a publicarlas. Merecen llegar a la gente. ¿Podemos hablar cara a cara del asunto?

—Claro.

—Mañana, en la sede de la editorial. ¿Sabe dónde está?

—Todo el mundo lo sabe.

— Venga usted por la tarde, a las seis. Además, le pido un favor —dijo, antes de darse un respiro para encender un cigarro—. Supongo que recibirá usted ofertas muy cuantiosas. Ni las contemple. Le considero un escritor de raza, una gran promesa. La verdadera literatura no debe andar esos caminos. Venga a verme y hablaremos, sobre todo, de cómo debe usted aparecer ante el público. De nada sirve comportarse como un contable si lo que uno quiere es renovar la narrativa. Usted sea sublime sin interrupción, lo demás déjemelo a mí.

—Bien.

—Entonces mañana a las seis. No falte. Tiene usted por delante un futuro al que no debe dar la espalda. En este país no se lee, pero a usted lo leerán.

Y colgó. Naya me miraba, intrigado, pero en ese instante no hallé las palabras adecuadas para transmitirle la importancia de aquel encuentro tan inesperado con mi destino. ¿O acaso no lo era? Solo dije:

—Un editor.

Desde que era joven había pensado que el genio está por encima de las ocasiones, que el talento las crea sin tener en cuenta al azar. El genio, el talento. Las dos palabras que más daño han hecho a la obligación que todo hombre tiene de comprender a los demás hombres. Sin embargo, mi vida encadenaba cientos de oportunidades de convertirme en un hombre valioso, que yo había aprovechado para volverme un fugitivo.

—¿Qué te ha dicho? —preguntó Naya.

—Quiere convertirme en un gran hombre.

—Supongo que de lo que se trata es de que caigas otra vez en el mismo charco —dijo Naya—. Seguro que te parece tentador.

Todo me tentaba, en efecto. Había dejado mi casa y mis costumbres, igual que Hansel y Gretel, y todo me parecía tentador o, al menos, esperanzado. Madrid, la ciudad por la que había abandonado veinte años antes mi lugar de nacimiento, y en la que hacía veinte años que no se prestaba atención a casi nada, me parecía de pronto tentadora. Había ya renunciado a publicar libros. Me había acostumbrado a escribirlos sin pensar en la gente que podía amarlos u odiarlos. En Madrid, los libros habían dejado de tener significado. No se compartía nada parecido al pensamiento, como si todo estuviera en marcha por medio de relés y, si había hombres inteligentes, cultos, que afilaban las ideas propias antes de ver si coincidían con las de Montaigne, eran hombres aislados.

Al día siguiente me presenté en el despacho de Luengo, a las seis en punto. Naya me dejó frente a la editorial, un edificio de dos pisos con un escaparate que parecía pintado por Hopper, donde se exponían los libros que habían dado prestigio a la casa, es decir, los que habían fracasado comercialmente. Le di mi nombre a la secretaria y me pidió que me sentase, pero fue Luengo quien salió a mi encuentro de su despacho.

—El hombre famoso —exclamó—. ¿Sabe que podría hacerme rico, si los paparazzi no me tomasen por un embustero?

El despacho parecía la sacristía de una iglesia, grande, ajedrezado, con la pared cubierta de madera barnizada y tachonada por una constelación de menciones, premios y portadas de libros.

—¿Por qué lo dice?

—Todos esos putones me han oído pregonar que venía usted a verme hoy. Nadie me ha creído. Es lo que tiene el morbo: aquello que lo sacia siempre parece una quimera.

—¿Por qué ha hecho eso?

—¿Por qué va a ser? Expectativas. Hay que empezar a vender sus novelas. ¿O no se trata de eso? Vamos a ponerlas en la cinta de equipajes, pero no querrá que se queden allí dando vueltas, ¿no?

—No.

—Yo tampoco. Hay que crear expectativas.

—¿Le parecen pocas las que ya hay?

—Le entiendo —concedió Luengo—. Pero han de ser de otro tipo. Ahora le persiguen a usted, hay que hacer que persigan sus libros. La gente tiene que empezar a creer en lo que usted escriba por voluntad propia, sin responder a esas preguntas de catecismo cuyas respuestas todos le atribuyen.

—Bien... Tengo cinco novelas en el cajón. ¿Por cuál quiere empezar?

—Ya hablaremos de esas cinco novelas. Me gusta como escribe, pero ahora tenemos que introducirlas con algo, ¿entiende? Crear una necesidad suficiente para que la gente se trague sus adjetivos sin parpadear. Si lo conseguimos, tendrá usted un futuro.

—Los adjetivos… —repetí.

—Los adjetivos son los que plantean los mayores riesgos. Creo que soy el editor que más adjetivos ha publicado. Tengo en nómina al mayor muestrario de campos floridos de este país, por eso sé de qué hablo. En cuanto a los lectores, llevo tres decenios vendiendo libros a entomólogos y pintores prerrafaelistas. Sí señor, soy la Juana de Arco de la adjetivación, pero he tenido que preparar concienzudamente cada nueva remesa. Los conozco bien, a mis adjetivos y a mis lectores. Uno no puede precipitarse con la estética, es como pregonar por qué lado vas a tirar el penalti.

—¿Qué es lo que quiere saber? ¿Cuántos adjetivos uso? Uso los justos.

—Vamos, déjese de tópicos. Cualquiera de mis autores me despellejaría si me atreviese a rebanarle uno solo. En su caso, los adjetivos son bienvenidos. Seguro que pernocta rodeado de ellos, con miedo de que vengan a masacrarlos, como la guardia de Beowulf. La literatura es inmisericorde, pero le invito a que, en su próximo libro, la mantenga encerradita en una taquilla de consigna. Ya la sacará más adelante.

—¿Y qué quiere que escriba?

—Su vida, de una forma llana y simple. Imite a Proust, aunque esta vez no hace falta que travista a sus personajes.

—Siempre hablo de mi vida.

—Pues siga haciéndolo. No puede imaginarse lo interesante que se ha vuelto. Además, le voy a decir algo que le parecerá paradójico: a usted le creerán. Hable de lo que le está ocurriendo. Utilice la técnica magnetofónica. Es usted un espontáneo, pero saldrá a hombros por la bocana de Grub Street. Después publicaré sus cinco novelas.

—De modo que se trata de eso.

—Pues claro. Este país necesita testimonios de primera mano. Aquí siempre ha faltado sinceridad, y en parte es porque la sinceridad aparece voceando más allá de un desfile con bombos y platillos: los cabrones de Joyce, Eliot, Lowry y toda su parentela. Haga como los norteamericanos, escriba lo que le ocurra con las peores palabras que encuentre. Yo le publicaré toda la mierda que imagine. En los tiempos que corren, es el mejor modo de tener una posteridad.

—Bien, entonces hablaré de Penny.

—¿Quién es?

—La chica de la que me enamoré cuando tenía seis años.

—¿No va usted demasiado lejos? ¿Qué tiene eso que ver con las persecuciones de que está siendo objeto? Yo que usted escribiría sobre los cabrones que le persiguen. ¿O acaso pretende renunciar a la catarsis?

—¿A la mía o a la de los lectores?

—Usted no tiene aquí nada que decir, pero sus lectores no podrían vivir sin que se lo contase.

—Le aseguro que podemos salvarnos todos, mis lectores y yo.

—¿Me lo asegura?

—Absolutamente.

—Bien, entonces escriba, escriba... Use a la tal Penny, pero póngale su carne y su sangre.

—No podría evitarlo.

—Le doy tres meses.

—¿Tres meses?

—Sí, el tiempo necesario para que no piense en los adjetivos. ¿En qué sociedad cree que vive?

—Lo intentaré.

—Le veré aquí dentro de tres meses, con un texto de trescientas páginas. Escriba de pie, como Hemingway. Sentarse lo perderá.

—No me sentaré. Deme un adelanto.

—Veo que va aprendiendo. ¿De cuánto? Y cuidado con lo que dice, cada vez me siento más identificado con la vieja de *Crimen y Castigo*. Además, tendrá que firmar antes el contrato. Si no entrega la novela a tiempo le mandaré a la Isla del Diablo.

—50.000 euros. Uno por cada adjetivo a que voy a renunciar.

—Hecho. Mi secretaria le entregará el cheque. ¿Le pido un taxi?

Me he quedado corto, pensé.

—No, tengo que dejarme ver. Las expectativas.

—Bien pensado. Si no aparece mañana en los periódicos romperé nuestro contrato.

Al día siguiente aparecí en los periódicos. Un *paparazzi* dijo que Alonso Guerrero, el hombre más buscado, había creado una página web en la que estaba dispuesto a contestar a todas las preguntas que le hicieran sobre las memorias que estaba escribiendo. La conclusión de que Luengo se había ido de la lengua no resultó muy arriesgada. Naturalmente, mi mujer me envió la primera pregunta. Quería saber por qué había dado ese paso. Nadie lo creía, así que la llamaron a ella, para corroborar que Alonso Guerrero había abierto una página web y estaba dispuesto a contestar a todo aquello a lo que nunca había contestado. El campo era tan ilimitado que la segunda pregunta, anónima, fue: *¿Qué opinión le merece la monarquía?*

Estuve a punto de renunciar a la posteridad, por eso empecé a escribir mis memorias. Mirando mi vida, me pareció evidente que los únicos recuerdos pertinentes eran los de los últimos meses. No era la primera vez que lo novedoso me engañaba. Ese margen de locura, parecido al de don Quijote, lo impregnaba todo. No me había vuelto loco, pero sí todos los demás, así que las páginas en blanco empezaron a colmarse solas, cebadas por lo que ocurría dentro y fuera de mi cabeza. Dentro, una serie de torbellinos revolvían los significados de lugares como la plaza de Lavapiés o la estación de Atocha. Fuera, un turbión de noticias coceaba contra mi puerta desde las cadenas de televisión, igual que inspectores mal informados. Alguien había descubierto dónde estaba Penny Robinson. Naturalmente, en los Estados Unidos. Una cadena, de pronto, lanzaba la exclusiva de que la había invitado a que viniese a España y hablase para todo el mundo, no con el objeto de conocerme a mí, como yo mismo creí, sino para que el mundo supiera de dónde partían los recuerdos de un hombre perseguido, famoso hasta el ostracismo, que en realidad apenas importaba a nadie. La semana siguiente, Angela Cartwright aparecería en antena, para contar cómo había sido su vida en otro planeta. Hemos encontrado a Penny Robinson, pregonaba la publicidad. Yo estaba entusiasmado, incluso llegué a contestar a la pregunta número 587 que apareció en mi página web: *¿Por qué es Penny su paradigma de mujer?* No era mi paradigma de mujer, era mi paradigma de infancia, pero expliqué, de una forma inevitablemente bobalicona, que el flequillo de esa chica había sido lo único irracional en aquella infancia embriagada por la brisa apolínea de la literatura.

Tal fue la razón de que pusieran a Angela Cartwright en un avión y la trajeran a Madrid. Ella, al parecer, estuvo encantada, porque también para ella Penny era un paradigma de infancia. De hecho, seguía viviendo de él. Europa la fascinaba, igual que una noche en Las Vegas, o un amor perdido. Pensé que seguramente su historia estuviese llena de amores perdidos. Ocurría con las actrices. Yo mismo era uno de ellos. La cadena anunció que no se iba a hablar de *Sonrisas y lágrimas*, ni de *Más allá del Poseidón*. Solo de *Perdidos en el espacio*. De pronto, Penny se había convertido en un valor incomprensible, pero de muchos quilates. Faltaba una semana para que la niña que iba a bordo del platillo que yo pinté en mi bloc de dibujo llegara a bordo de un avión y pisara Barajas por primera vez, para declarar lo que se le ocurriera sobre mis obsesiones y mis nostalgias. Yo esperaba que lo declarase sobre las suyas.

Luengo, el editor, estuvo llamándome diariamente para saber si mi trabajo iba bien encaminado.

—¿Va a llamarme los noventa días?

—¿Pensaba lo contrario?

Él lo llamaba mi obligación, pero yo pasaba hora tras hora mirando hacia Gran Vía desde el piso de la calle Valverde, preguntándome por qué era incapaz de identificar como algo mío todo lo que los demás me atribuían. Había buscado en la Wiki fotos de Angie Cartwright, de Penny Robinson, de Brigitta von Trapp. Todas me remitían a la que me hicieron a la edad de siete años en el colegio, abrazando aquel libro de matemáticas de cuarto, dos cursos por encima del mío. Escruto esa foto a menudo, a veces con potentes lupas, para ver si puedo atisbar en aquellos ojos el mundo que miraban, pero solo hallo sombras. Desde entonces no he hecho más que vivir de las rentas de aquella felicidad. Miro esa foto y sigo preguntándole a aquel niño que se mordía las uñas y solo escribía cuando lo necesitaba. Nunca dejaré de preguntarle.

Empecé a salir de noche. De día trabajaba. Contar lo que me ocurría me libraba de sus consecuencias. A veces Naya me acompañaba, otras salía solo. Poco a poco, la prensa iba olvidándose de mí. Mi casa no sufría la vigilancia de aquella gente que se emparedaba con cámaras y fumaba en la oscuridad. Ahora los *freelance* tenían otras cosas en que pensar. Penny Robinson estaba de camino. La cadena que la traía lo anunciaba cada tarde y cada noche. Otras seguían buscando a Annabel Lee.

Volví a Lavapiés, pero no encontré a Tomacito. Con el paso de los días, conseguí el margen de anonimato suficiente para tomar una copa solitaria en garitos donde la gente no veía la televisión ni miraba por los escaparates. A veces, al llegar a la calle Valverde, veía a Catwoman en televisión desbarrando contra la totalidad de lo real, hasta altas horas de la madrugada.

Me parecía que pasaban muchos días, pero apenas fueron dos semanas. Una noche tropecé con una cara conocida, en una de esas cantinas de exilio que frecuentaba. Era una mujer joven a la que reconocí porque mi memoria la mantenía alojada en una suite de lujo y la alimentaba por una trampilla. Estaba sola, e iba tan borracha como yo. Su rostro la precedía. Llevaba un pelo muy distinto al que tenía la primera vez que la vi. Ahora era corto y muy negro, y ella iba envuelta en un capote de guardamarina que no reprimía un ápice lo que cualquier hombre podía imaginar debajo, porque la imaginación, arrebatada por mujeres así, nunca se deja aprisionar. Era Nené. Le cedí el paso en la puerta de una tasca de Chueca, y vi cómo llegaba a la barra y, antes de abrir la boca, le ponían un cóctel azul. La suya era una ebriedad de cosas sofisticadas. Es un síntoma de mujeres que le piden demasiado a la vida. Yo, en cambio, solo necesitaba de la vida un momento a su lado. Además, había comprobado que borracho salía mejor en las fotos, que el alcohol me ponía la mejor sombra de ojos, como cuando estaba en la universidad. Entonces podía decirlo todo con la mirada, y guardarme las palabras para los folios que escribía entre las doce de la noche y las siete de la mañana. Mis compañeros de generación se pintaban la raya del ojo, que era como un endecasílabo apresurado, antes de salir a buscar lo que ahora tenía yo delante.

Nené parecía triste. Era una mujer de cócteles azules. Se los servían en copas con el borde miriado de azúcar, y aquellos cócteles la ponían en las orillas de selvas lacustres y lejanas. ¿Otra noche de buscadora de esmeraldas? —me pregunté. Olía a papiro, y los ojos le brillaban como si contemplaran su infancia por una cerradura.

—¿Nené? —dije.

Giró la cabeza y torció el gesto cuando vio mi *bourbon*.

—¿Quién eres?

La mentira que iba a decir iba acompañada de todos sus reproches previos. Eso me ayudó. No debía hacerlo, pero no pude evitarlo. Era una situación demasiado literaria. De otra forma, pensé, la conversación será larga en exceso, y yo necesitaba, ante el vacío de aquella noche y de aquel *bourbon*, ir unos pasos por delante. Mentí por mí y por ella. Al menos, mentí por aquel hombre negro que se hacía pasar por blanco. Yo no era tan bueno como él, aunque había empezado a amarla en lo profundo de mi soledad.

—Soy Denis.

—¿Denis? —dijo, sorprendida por una lumbre en la cara. No sé cuántas cosas perdidas recuperé con aquella luz. Estaba envejeciendo, rodando ya por la etapa descendente de la vida y volviéndome un buscador de luces como aquella, portadoras para el mejor postor de una emoción sincera. Nené me abrazó sin importarle quién era Denis, un hombre mayor que ella, un hombre al que un azar inesperado arrojaba a aquella ribera. Me dio un beso en la boca y yo tuve que buscar un resquicio en aquel capote de marinero que me llevara a su piel. Su cuerpo era como el primer día de la creación. Lo acaricié sin pensar en la mentira que me había llevado hasta él. Cuando terminó de darme aquel beso discrecional me puso la mano en la cara, me tocó como una ciega, me besó el cuello y dijo:

—¿Por qué me mentiste?

No era yo quien le había dicho que fuera negro. ¿Podía compensar con esa inocencia la falsedad presente? Muchas cosas me impidieron pensar en ello, todas encarnadas en la propia Nené. ¿Podía amarla como Denis? ¿Podía amarla como ella quería que la amara, aunque no fuera Denis? ¿Podía terminar, gracias a ella, siendo Denis? Amar, pensé, nada menos que amar. El verbo lo había susurrado ella, aunque no supe de qué modo.

—Quería saber si me querrías igualmente.

—Te quiero. Vámonos de aquí.

Nené no dijo nada durante el corto recorrido que nos llevó a la calle de Valverde. Me abrazó por la cintura y pegó su cara a mi pecho. Fue andando por la acera con los ojos cerrados y la mitad del rostro iluminada por los escaparates. Naya no dormía esa noche en su casa. También tenía relaciones que recuperar. Nené sabía dónde estaba mi habitación. No tuve que decírselo. Me desnudó con dos gestos y vi que debajo de aquel capote gogoliano solo llevaba una camiseta amarilla de tirantas que se cruzaban sobre la cruz del cuello, curvo y blanco como un salto de agua. Deshizo la cama y se tendió bocabajo, pero antes apagó la luz y se colocó la almohada bajo el pubis. Entonces me dijo:

—Ven.

Las abras de Gran Vía dejaban en la ventana luz suficiente para ver que llevaba tatuado en el coxis el nombre de Denis, una pequeña filigrana que se curvaba entre las nalgas. Al parecer, era una mujer fiel a aquello en que creía, una mujer que había buscado y creído en lo que buscaba. Entonces pensé en mi esposa. Le debía todos mis sentidos, demasiadas cosas para que aquello no significara nada; sin embargo, Nené me llevó al tiempo en que mi vida empezaba. Todo tuvo la intransigencia de lo nuevo, incluido aquel tatuaje que me decía que aquello no era una conquista, sino un reencuentro. La poseí contra la almohada, contra varios bordes de aquella cama de viajante de comercio que ahora ocupaba. Cuando Nené se daba la vuelta era para mantener aquel silencio que había guardado desde el comienzo, como si las palabras hubiera que postergarlas por la sencilla razón de que éramos amantes, solo y nada menos que amantes. Le gustaba estar de espalda. Así me ofrecía aquel tatuaje con el nombre de otro, aunque ella creyese que era el mío, un nombre destinado a alguien perdido para siempre y recuperado con una apariencia que le devolvía sus primeras ilusiones. Para mí, todos los besos fueron el primer beso. Yo era Denis. Hubiera matado por serlo. Abrazado por Nené, me parecía que por primera vez le robaba algo a la vida. Antes de dormirse no necesitó preguntar nada, ni proyectar nada. Durante unas horas, el futuro fue nuestro, aunque en realidad yo podía haber sido un hombre casado, con un hijo, perseguido por los paparazzi y destinado a una cruz clavada en los helipuertos de las agencias de noticias. Ella había encontrado a su Denis. Yo también lo había encontrado. Me había plantado frente a él con la misma estupefacción que, en la estación de Atocha, frente a aquel hombre de las gafas que había ocupado mi lugar. Habría tiempo para contarlo todo. Tampoco ella hubiera querido oírlo. Fue al mueble bar, se puso un vaso de ginebra y se durmió.

Desayunamos en una cafetería de la calle de Carretas. Nené empezó, por fin, a hablar. La noche anterior no había reparado en su voz cálida y remota.

—Me gustó lo de anoche. No debiste fingir que eras otro. ¿Qué eres? ¿Un romántico? Me siento culpable por cortar de aquella forma…

—Ya da igual —dije, y seguidamente cité una frase de Darien que había puesto al frente de una de mis novelas—: El azar hace las cosas bien.

—Tengo que irme, pero te llamaré muy pronto. ¿No te importa?

—No me importa que te vayas, pero dame tu teléfono.

—¿Por qué?

Era la pregunta femenina. Se había pintado los labios antes de salir, y el rictus de una sonrisa le fijó la boca con más nitidez. Un ideograma chino, eso es lo que parecía aquella sonrisa embridada con rapidez por el lápiz de labios.

—No sabría qué hacer sin él.

Intercambiamos los teléfonos. El suyo lo apuntó en una servilleta del bar, con una letra redonda y evanescente propia de aquellas tintas violáceas que usaban las mujeres de Hoffmannsthal, o Schnitzler, o Zweig, tintas para mensajes que no tienen vuelta atrás. El mío parecía escrito por un hombre demudado, un hombre que no acudía a su tálamo matrimonial desde hacía más de un mes.

—¿Estás bien? —inquirí.

—Sí, pero pídeme una ginebra.

Se la tomó y pidió otra. Entonces fue recuperando el color. Los ojos adquirieron conciencia y profundidad y, por primera vez, empezó a mostrar signos de alegría. Me tomó la mano y me besó. Había visto esos signos en otras mujeres, pero nunca a través de una celosía que, en Nené, empezó a recuperar la transparencia con la segunda ginebra. Aunque tenía que irse, me dijo que su vida no estaba preparada para las cosas buenas. Había tratado de ser modelo, pero todo el mundo se había aprovechado de ella.

—Sobre todo los hombres —confesó.

Había asistido a una escuela de modelos, incluso tenía un *book*, pero era un mundo de mierda. Se había enfrentado a sus padres, que no estaban conformes con que viniera a Madrid, y ahora no se atrevía a volver.

—Comparto un piso con tres compañeras que se ganan la vida como yo. Soy un poto que riegan de vez en cuando en un pasillo lleno de letreros. Ocho horas de azafata de congresos por 40 euros.

—¿No has estudiado?

—Sí, protocolo, en una academia —dijo, mirándome como si eso zanjase la conversación.

Al cabo, se fue sin preguntarme nada. Era la única forma de convertirme en un compartimento estanco, un cuarto al que acudir cuando quisiera vivir algo parecido al amor. Porque yo la amaba, ¿o no? Sin embargo, la dejé irse porque no tenía nada que ofrecerle. Ella era un pequeño margen, igual que yo, una promesa sin asideros que no deseaba que fueran en su busca. La vi salir embutida en aquel gabán de cosaco debajo del cual iba casi desnuda. Era bella como un diluvio, pero desapareció bajo el sol de diciembre sin dejar rastro. Tenía su teléfono, escrito con un temblor de resaca, y su nombre: Nené, sin tilde, extendido sobre el papel como la rúbrica de un cheque sin fondos.

Me acerqué a Sol y compré un par de revistas. Ambas publicaban la relación de preguntas enviadas a mi página web, y las dos o tres respuestas que yo había tenido a bien contestar. Una de las preguntas era: *¿Por qué no ha dado usted la cara desde el principio, en lugar de huir?* A lo que había respondido: *Porque es preferible que te acusen a que te escupan.* A renglón seguido la revista publicaba un largo artículo, firmado por aquel psicólogo monotemático de los famosos, sobre los términos en que resurgía y se manifestaba una vez tras otra mi inseguridad. La foto recurrente del amarillo lívido con que había pintado el platillo volante cuando era niño corroboraba esa afirmación.

La última visión del cuerpo de Nené, un cuerpo de gitana caminando por la nieve cuyos trazos ni el gabán había sido capaz de velar, me subió de pronto a aquel tren de deportación donde se hacinaban los hombres enamorados del mundo. Sin embargo, una de las revistas que llevaba en la mano interponía alambradas a mi destino de hombre nuevo. En la contrapágina del platillo habían insertado la foto del Hostal Apolo. Aquel tipo que tiraba de la maleta con ruedas, que a todas luces había mirado hacia los cuatro puntos cardinales antes de salir, era sorprendido como un ministro en un burdel. También Angela Cartwright, con su atuendo de Penny Robinson, me miraba sonriendo como si, igual que Nené, también yo fuera sin ropa debajo del abrigo.

Volví a la calle de Valverde y descubrí un pequeño *foulard* rojo sobre la mesilla. No me había fijado en que Nené lo llevara, ni en que se lo hubiese quitado antes de meterse en la cama, pero allí estaba, como el pañuelo de Desdémona. Quizá vuelva a por él, pensé. Pero el día transcurrió marcado por los ruidos de la escalera y la absurda esperanza en que sonara el telefonillo.

Cuando puse la televisión me enteré de que Laura no dejaba de poner carnaza en el sedal. Sin embargo, de ella solo recibí un mensaje de texto: «Lo siento». Bien, al menos lo sentía. Sentirlo era mejor que limitarse a recoger los beneficios en un muelle oscuro al anochecer. Lo sentía, pero llamé a Bowman y me contó que se había convertido en una mujer nueva. Un extraño automatismo la había llevado en volandas hacia el divorcio y, simultáneamente, a esa verborrea justificada por tentaciones que nunca la habían tentado. En otras palabras, él, Bowman, era otro represaliado.

—Ahora es una mezcla de Anita Ekberg y Kurtz, el de *El corazón de las tinieblas.* Me da miedo —dijo Bowman.

Yo sabía que su Kurtz no venía de Conrad, sino de Coppola. Bowman había rapado a su mujer y la había colocado en las profundas junglas de Vietnam.

—¿Te ha dicho que lo siente? —me advirtió—. Yo en tu lugar tendría ojos en la nuca.

Lo tuve en cuenta: me había vendido a mí, y había traicionado a su amiga del hostal Apolo. No iba ya a abandonar ese camino, y no hay mejor porteador para cargar con el arrepentimiento que una productora de televisión.

Anduve vigilando la confluencia de Valverde con Gran Vía. Sabía que Laura tenía una intuición especial para localizar mis paraderos. A veces salía con Naya e indagaba las portadas de los quioscos de Sol. Mi foto se repetía, pero las de Laura —las que le tomaban en el plató donde se había convertido en estrella vespertina— iban conquistando un espacio cada vez mayor. Además, se había vuelto una fuente inagotable, una de esas visiones omnisciente que yo siempre desechaba en mis novelas. La novela seguía adelante. Cuando Luengo llamaba para conocer los avances, yo le citaba a Leon Bloy: estoy escribiendo las páginas más falsas de mi autobiografía. Él se mostraba entusiasmado, y me leía párrafos enteros de las peores revistas publicadas en España. Me animaba a que empujara la bola de nieve, a que bajara rodando por la montaña, a estrellarme contra la caja fuerte que me esperaba abajo. Llegué a pensar que estaba incurriendo en las mismas debilidades de Laura, que había tomado su mismo camino inmisericorde y desquiciado hacia la enajenación.

—La desintegración —me corrigió Naya—. Te van a desintegrar.

—Exageras —decía yo, con la boca pequeña.

—Tú no eres como ella. Tú eres todavía un niño que cree en la posteridad.

Crees que las palabras que escribas van a bajar del cielo con largas trenzas rubias, cuando mueras, y te van a llevar a su fortaleza en las nubes.

Algunos, en las tertulias televisivas, me habían recriminado la persecución de la posteridad. De hecho, era habitual que insultaran a quien persiguiera cualquier cosa. Naya veía esos programas por acercarse a mí, y sentía estupor tanto por lo que decían como por la forma en que se mordían la lengua, en espera de extrañas confirmaciones que provenían de simples rumores. Esos rumores a menudo se obtenían mediante expeditivas sangrías. Algunos tertulianos se ponían una sanguijuela en el lóbulo frontal y después, en el plató, era la sanguijuela la que se plantaba ante el micrófono.

Laura era la protagonista. La cosa había llegado ya a mi segunda infancia, a la competición con mis amigos —entre los que apareció Naya— por Penny Robinson, al platillo, a mi desventurado solipsismo, a las claves insospechadas que contenían mis novelas, siempre suponiendo que yo fuera una persona lo bastante significativa para que alguien tuviera el ánimo de leérselas todas. No se trataba de programas literarios, pero hubo quien realizó incursiones en ellas, incluido el tipo de la corbata amarilla. Catwoman permanecía al margen. Su afrenta era otra, otro su reconcomio. Naya era un escándalo andante, pero a veces se quedaba a ver qué decían de él, mientras yo trabajaba en la novela. La noche del 20 alguien llamó a la puerta. Naya fue a abrir y vino a decirme:

—Es para ti.

Era Nené. Venía con varias revistas, y el mismo gabán. Se me echó en los brazos, me besó y, cuando Naya volvió al salón, dijo:

—Todo el mundo te busca. Ayúdame a ser modelo. Sé que conoces a mucha gente.

Tomé el abrigo y salí con ella a la calle. En el ascensor me mostró una portada en que aparecía mi cara, junto a los asiduos del programa de Catwoman hablando de mí y, finalmente, Laura, declarando que el *tête à tête* entre Angie Cartwright y yo sería memorable, si se produjera. Ella no creía que yo accediese. Según ella, yo estaba obligado a salvar mis recuerdos de la amenaza de la verdadera Penny Robinson. Estaba segura de que yo iría a Barajas, de que me escondería entre la multitud que saliese a recibir a la Cartwright, pero jamás diría esta boca es mía, y menos en un plató de televisión. La llegada estaba prevista para la mañana del 22, y la Cartwright saldría en el programa de Catwoman esa noche. Yo tenía poco más de un día, según Laura, para desaparecer. Iría al primer agujero en la tierra que encontrase y me metería en él, hasta que las aguas volvieran a su cauce. Nené había leído todo eso. Bajo las revistas traía su *book*. Me lo enseñó en la cafetería donde desayunamos la última vez. Antes de sentarse se desabrochó el abrigo y me mostró el traje color champán con que se había hecho algunas de las fotos.

—Yo no conozco a nadie. También juegan conmigo, aunque con más razones —le dije.

—Pero todo esto…

—Me persiguen. Eso es todo. ¿Quieres que te presente a mis perseguidores? Sería como un *ménage* con la gente a la que debo dinero.

—Pero a cambio tú podrías…

—¿Ponerme en sus manos, y repetir las tonterías del guion?

—Dice que es amiga tuya —dijo, señalando la foto de Laura.

—Sí. Busca lo mismo que tú. Mejor dicho: ella se lo ha encontrado.

—A mí eso me abriría muchas puertas.

—Volverías a ser un macetero en un pasillo. Olvídalo. Quien entra por esa puerta ha de estar dispuesto a negarse a sí mismo en jornadas de ocho horas, siete días a la semana.

—Tú no estás en mi situación.

—Creo que sí, en la misma. Espero que pronto se olviden de mí, todo dependerá de que la gente que se ha cruzado alguna vez conmigo no pretenda ser famosa.

Nené hojeaba pensativa su libro de fotos. Estaba tan bella como cuando posaba ante el fotógrafo. Entendió el reproche, pero me pareció que no aceptaba permanecer en esa zona sombría que la confinaba.

—¿Quién te las ha hecho? —le pregunté.

—Un fotógrafo de agencia. También quiso aprovecharse de mí.

—¿Y lo consiguió?

—Claro. Esa gente siempre lo consigue. Estaba casado, y tenía dos hijos. Me llevó a París, diciendo que era el marco incomparable que mi rostro necesitaba. Solo me hizo una foto.

Me la enseñó, con la torre Eiffel al fondo, y los letreros amarillos del restaurante Jules Verne. Nené tenía una mirada triste, abismada por las ojeras. Era una foto de turista, hecha aprisa, una foto para el recuerdo o para el muestrario de trofeos del que la tomó, no para el *book* de la mujer que aparecía en ella. Nené miraba extrañada a la cámara, con un abrigo de los años 50 que tenía el cuello vuelto. No quise saber el significado de aquella foto, y supuse que ella tampoco me lo iba a aclarar. Yo siempre buscaba significados. Podría haber sido una aventura sin consecuencias, pero el grito silente, lleno de sinestesias de los ojos de Nené me decía que sí había un significado. Yo también la había engañado, y no solo a ella. La visión de mi esposa, a la que ahora cuidaba mi hijo, me hizo ver aquel libro de fotos como un sumario de traiciones. Había planeado cenar con ella en Nochebuena. Cerrarlo todo y pedir perdón. Ahora me sentía incapaz de presentarme en mi casa. No sabía qué había pensado ella al ver la vieja foto de Laura en las revistas, ni me lo había dicho. Todo formaba parte de un huracán cuyo ojo pasaba en ese instante sobre mi cabeza. Esa momentánea calma llegaría pronto a su fin. Me entró un deseo innombrable de volver al principio, pero había llegado a un punto en que todos los deseos llevaban en sí mismos sus propias recriminaciones.

Nené estaba decepcionada. Se había agarrado a expectativas fantasmales, igual que en aquel viaje a París. Mi nombre estaba en las revistas que traía, así que al final dijo lo otro que había venido a decir:

—¿Entonces no eres Denis? ¿Es Denis el nombre que usas en la red?

—No soy Denis. Denis usa su nombre verdadero. Puedes encontrarlo en Lavapiés, en el locutorio de la calle Tribulete. Es un hombre de color.

—¿Por qué me dijiste que eras tú?

—Porque me gustas, porque te necesitaba cuando te vi en el bar de Chueca, porque yo también tengo miedo de que te vayas si...

—Aquí dice que estás casado —me cortó Nené.

—Es cierto.

—¿Dónde está tu mujer?

—Esperándome.

—No vayas.

—Ya no puedo ir —. Entonces le dije algo brutal para los sentimientos y las nociones que habían circulado por mi vida. Éstos lo rechazaron, pero terminé por decirlo con la decisión de un hombre solo, vigilado por sus propios recuerdos—: ¿Querrías pasar la Nochebuena con dos desconocidos?

—¿Cuáles?

—El que te ha abierto la puerta y yo. Es simpático, suele pensar por mí. A veces hasta me da consejos.

—Quiero pasarla contigo únicamente —respondió—. Donde sea. En una habitación de hotel.

—Creo que los vigilan todos.

—Entonces en mi casa. La comparto, espero que no te importe. Compraremos comida precocinada y brindaremos por algo bonito.

—¿Por la fama? No pertenezco a ese mundo al que aspiras —le dije.

Nené se quitó la bufanda fucsia, de revista, y la depositó sobre sus rodillas. Era una mujer de publicación semanal. Poseía la boca grande y los ojos de encrucijada que me atrapaban en las esperas del dentista y el peluquero. Sin darme cuenta, había llegado a obsesionarme con sus ojos y su boca. Ambos permanecían en mi memoria por alguna razón. Quizá los había visto en una portada de disco. Todas las mujeres que desfilaban y cantaban tenían esos ojos y bocas, aunque cada una destilaba con ellos una mirada distinta, y daba besos tan diferentes como sellos de lacre. Nené lo sabía, por eso quería la fama.

—Es una pena —respondió.

—¿Por qué? ¿Qué quieres demostrar? ¿Que eres bella? Lo eres, no necesitas que te paguen por ello.

Pero yo, después de casi dos meses de huida, seguía siendo un ingenuo, como mi padre, o un romántico. No, mi padre no era ingenuo. Él seguía siendo un niño, en tanto que yo era un ingenuo soberbio, que había presumido de ello hasta agotar una infancia fabricada por y para mi soberbia, una infancia artificial y llena de daño infligido a los demás y justificado ante mí mismo. Había visto la belleza de Nené, pero no su situación, que era aún más evidente e irremisible.

—Este es mi único camino —dijo, señalando al *book* de fotos que tenía sobre la mesa. No había apartado la mirada de él. Me pareció que solo la apartaba cuando salía a emborracharse, así que lo miraba con permanente agotamiento. Lo que el álbum contenía era embriagador, pero ella prefería embriagarse para crear paréntesis en su vida en los que no tener que mirar el álbum. En efecto, era su único camino. Los demás teníamos caminos más estrechos, pero podíamos quedarnos al margen, como bolas de golf perdidas, y volver después a la calle. Nené no. Nené tenía que buscar su hoyo sin interrupción, sin escalas, sin una sola y errática postergación. Era una mujer demasiado bella para rechazar esa metafísica. Su piel, su sonrisa no podían permitirse retrasos ni depresiones, porque la belleza es una mariposa enamorada de una vela encendida. Las vidas de los demás están hechas de tiempo subjetivo, la suya de un tiempo vicario, de pura y desnuda cronología. La vi alarmada, sin apartar la vista del álbum. ¿Dónde estaba su hoyo? ¿En una pasarela? ¿En una agencia de modelos? ¿En un cuadro de Botticelli? Yo no lo sabía, pero ella sí. Sin embargo, tenerlo todo tan claro no la salvaba de una desorientación infantil, quieta y aterrorizada en sus pupilas. La boca escondía una entonación que continuamente preguntaba. Ella seguía sin entender por qué, teniendo yo todo eso a mi alcance, lo despreciaba.

—Quieren subirme a un carro y pasearme para que una multitud de imbéciles me diga quién soy —le expliqué—. Pero si cambio de idea, serás la primera en saberlo.

—No creas que no te entiendo, pero para mí es más difícil.

—¿Qué edad tienes?

—Treinta y uno.

Treinta y uno. Ahí se pone en marcha la nostalgia. A mis treinta y uno yo aún encontraba libros no leídos de Henry James, pero Nené ya tenía su *book* lleno. Ella era su Henry James. Yo también la entendía. Sabía que la belleza, a partir de esa edad, empieza a perder toda esperanza. Nené era tan consciente de ello que lo vivía como una advertencia incipiente, pero desmesurada. El *book* que la había traído hasta allí era un libro de memorias que no dejaba de abastecerse contra su voluntad, porque nada en aquella vida la llevaba a donde ella quería. Además, estaba lleno de caminos equivocados. Lo supe cuando salió de sí misma, del laberinto de sus pensamientos, y dijo:

—¿Me pides una ginebra?

—Claro, dos ginebras.

La otra era para mí. Apuró la suya en tres sorbos, hasta que los ojos empezaron a mirar a través de las cosas. Me pregunté cuántas ginebras llevaba la noche que la encontré en Chueca, y entonces me pareció que todas las fotos de su *book* tenían esa mirada de pasmo ante la sencillez del mundo, lo cual aclaraba que a ella no le parecía sencillo.

—¿Qué vas a hacer ahora? —le pregunté.

—Si lo supiera no estaría aquí. Supongo que seguir buscando. Pasaré la Nochebuena contigo. No quiero que la pases con tu mujer.

—¿Por qué?

—Lo harías porque te sientes culpable, y eso te arrastraría. Me he sentido así alguna vez. Sé de lo que hablo. Los peores errores de mi vida los he cometido para justificarme.

—¿Fue lo que hizo el fotógrafo que te llevó a París?

—Sí, y yo se lo agradecí. Pero tú... Ahora soy yo la que he querido aprovecharme. Lo primero que se me ocurrió al ver las revistas fue que podría llevarte a París.

—¿Y antes de verlas?

—Antes había posibilidades de que no estuvieses casado, ni tuvieras un hijo, ni a mí me quedaba otra opción que emborracharme cada noche y pensar que tenía mala suerte —dijo, mirando la ginebra como si deseara que le pidiese otra—. Además eres íntegro.

—No es integridad, porque no la he elegido. Es miedo, un miedo originado por cosas cómicas, cosas para desternillarse de risa…

—¿No has pensado en aprovecharte de todo eso? —dijo—. Es lo que todo el mundo se pregunta.

—No podría obtener ningún provecho. ¿No te das cuenta? Tú sí, tú puedes aportar lo que eres. Yo no puedo responder sino con lo que ellos quieren que diga. ¿A cambio de qué? ¿Qué pueden darme?

—Tienes razón —dijo Nené, al empezar la segunda ginebra—. Es ridículo que te sientes en ese tobogán. En mi caso es lo que quiero, un simple tobogán. Que me hagan fotos y me den dinero a cambio, es todo. Es la única forma de librarse de los cabrones que te llevan a París. Otras muchas lo consiguen.

—Soy escritor. También en lo mío lo consiguen otros muchos. También a mí me cierran las puertas. Creo que sobre todo a mí.

—¿Quién es Penny Robinson? —preguntó. El nombre sonaba bien en su boca. Pronunciaba bien el inglés, igual que la Reina del Invierno el salmo de una helada, pero era demasiado joven para haber oído ese nombre.

—Una chica de la que estuve enamorado.

—La traen mañana, en avión.

—Sí, pero mañana no pondré la televisión.

—Puedes ir a Barajas. Dicen que habrá mucha gente esperándola.

—Penny Robinson fue una parte de mi infancia. La señora que traen de los Estados Unidos mañana repetirá lo que ha repetido tantas veces. Interpretó un papel en una serie de culto para la gente de mi generación, o para la parte de mi generación que no llegamos a nada.

Mientras decía todo esto pensaba en por qué no ir a Barajas, para contemplar la cara de Angie Cartwright y olvidarla definitivamente. Aquel platillo volante siempre lo había ocupado yo, no ella. Eso decían los psicólogos rutilantes que iban a los foros televisivos, que aquel universo azul marino era demasiado tenebroso para que mi amarillo titilante significara, siquiera, una posesión, una conquista, una simple colonia en una estrella distante.

—¿No tienes curiosidad por ver en qué se ha convertido?

—Ni siquiera la tengo por ver en qué me he convertido yo.

Sin embargo, sí la tenía. Recurría a paralelismos trillados, pero tenía curiosidad por ella y por mí y, sobre todo, por Nené. La alusión a mí mismo me pareció cantada, repetida. Lo que yo sentía por las palabras era más importante que lo que necesitaba expresar con ellas, así que raras veces hablaba para expresar sentimientos. Me bastaba experimentar qué sentía por el hecho de expresarlos. No obstante, tenía esa curiosidad. Ir a Barajas me parecía una aventura que continuaba la que había comenzado huyendo de mi casa.

—Está bien. No vuelvas nunca a donde has sido feliz —dijo Nené.

—¿Por qué?

—No es conveniente. Nunca es como antes. Igual que escuchar una canción que ha significado algo. La escuchas una segunda vez y pierdes tus recuerdos. Ya no funciona. No vuelvas con tu mujer, ya no será capaz de acompañarte en esto, en lo que te queda... En cuanto a mí, no me reproches nada, haga lo que haga.

—¿Qué puedo reprocharte?

—Nunca hablo con nadie de mí misma. Las que son como yo apenas lo hacen. A los tíos y tías con los que van no les interesa, ni cuando lo único que pretenden es aprovecharse.

—¿Por qué dices eso?

—No suelo implicarme. No sé nada de ti, ni tú de mí. Tampoco las revistas saben nada, y sin embargo... Me presento aquí a pedirte favores.

—No podría reprocharte nada.

—Confío en ello —zanjó Nené.

Al día siguiente no fui a Barajas. La cadena que traía a Angela Cartwright se encargó de descontar los minutos que restaban para que Penny Robinson aterrizara en España. Aquella niña que había surcado el universo en el Júpiter 2 llegaba en una compañía *low cost*. Esa misma cadena ocupó la mañana del 22 con la retransmisión de la calurosa acogida que le profesó una turba de admiradores. Presencié aquel aterrizaje presidencial junto a Naya, con los pies cerca de la chimenea. Angie Cartwright apareció en las escaleras del avión después de que bajaran todos los pasajeros, ya con el ramo de rosas en los brazos. Era una mujer madura, aunque mantenía de oficio el flequillo sobre la frente. En la primera entrevista, al pie del avión, dijo que era un placer volver a España. Solo había estado una vez hacía años, en un viaje privado a la Costa del Sol. Naya me lo traducía antes de que lo hiciera el traductor de la cadena. Ahora todo era oficial, porque llegaba como Penny Robinson. Le preguntaron si sabía por qué había sido invitada, y ella dijo que ya había estado aquí, privadamente, en la Costa del Sol, etc.

—¿Tienes algún contacto en esa cadena? —le pregunté a Naya.

—¿Por qué?

—Quiero ir al programa, de incógnito.

—Estás completamente loco. Te reconocerán y te meterán en el plató, amordazado como un Aníbal Lecter.

—¿Amordazado?

—No quieren que hables, solo exhibirte. ¿Te imaginas lo que dirá la escaleta? —Naya extendió el índice y el pulgar, se los pasó ante los ojos y recitó—: Fulano por fin encuentra a su Penny. O cosas peores.

—¿Qué fulano? ¿Puedes conseguirme esa invitación? Di que es para ti.

Naya no apartaba los ojos de la tele. Penny era escoltada por una traílla de perros falderos. La montaron en el autobús y entonces los espectadores repararon en que era un autobús para ella sola, lleno de cámaras y micrófonos. A la camarera que la empolvaba le sobraba talento, y alguna vez desviaba el pincel para automaquillarse. El plano era fastuoso, con aquella sonrisa epigonal y, pese a todo, infantil, en la cara de la Cartwright, así que la maquilladora no tuvo escrúpulos en formar parte de aquel documental sobre los famosos y el sentido de la vida. Cierto que el único objetivo de aquellas cámaras era ampliar el recibimiento estelar que se le hacía a alguien que no era nadie desde los años 60, por causa de alguien que jamás había sido nadie: Alonso Guerrero.

—Veré qué puedo hacer —concluyó Naya. La frase podía habérsele ocurrido a Bowman—. Aún tengo amigos en el Ministerio.

Lo que hizo fue una llamada telefónica. Recibió la confirmación y quedó en ir a recoger la invitación al final de la mañana, en una de las taquillas del Palacio de la Música.

—¿Quién te la deja allí? ¿Un hombre invisible del Centro Nacional de Inteligencia? —le pregunté.

—¿No quieres que vaya contigo?

—Iré solo. Todo esto es mejor verlo en televisión. No hay que preguntarse si el medio es el mensaje.

Aquel salvoconducto llegó a mis manos a las dos de la tarde. Aún tuve tiempo de ver el *check in* de Penny en el hotel, tan cercano a la sede de la cadena que todo sugería la existencia de un pasadizo que conectara su *suite* con el plató. No dijo mucho, y aún le preguntaron menos. La imagen se abría paso, con su hacha flamígera, a través del bosque del significado. Había que crear la expectación necesaria para que el país entero sintiera la llamada del glamur. Las recepcionistas del hotel copiaban la sonrisa de Penny, aunque no la conocieran, ni tuviesen su belleza atemporal, devuelta a la velocidad de la luz en el autobús de Irwin Allen. El tedio de todo el mundo, en aquel hotel, estaba habituado a los famosos, pero eso no apagó el resplandor de Penny Robinson. Besó a sus *fans* y terminó firmando sobre la lente de la cámara, como suelen hacer los deportistas de éxito. Todo tenía algo *revisitado.* Penny solo había pasado antes por la Costa del Sol, el resto del país era desconocido para ella. Madrid, según sus declaraciones, aún le parecía un hermoso aeropuerto, pero esperaba probar la tortilla de patata y el gazpacho. Le habían dado muy buenas referencias de esos platos. La niña vestida de plata, con el flequillo cortado a semejanza de la línea del horizonte, apareció en multitud de secuencias, hasta que una serie televisiva que solo había visto una generación se convirtió en algo que todo el mundo deseaba que se repusiera.

Llamé a Nené. Necesitaba algo que me librara de tomar un taxi e ir a la Ciudad de la Imagen, algo con el valor suficiente para hacerme olvidar aquella travesura de desocupado, pero saltó el contestador con su voz dulce y triste, incompleta, dubitativa ante dos caminos hacia el mismo sitio. Sin esa opción, recogí algunos utensilios que compré por la mañana: una gorra de visera y unas gafas de ver sin graduación, y me decidí a tomar el autobús que la propia cadena ponía a disposición de los asistentes al programa en Plaza de España. Naya me dijo que ese tipo de autobuses existía, y me indicó, informado por su contacto en el Ministerio, el lugar exacto del que partía. Me puse las gafas y la gorra, que era disparatada, incompatible con el atuendo: un abrigo de mezclilla y una bufanda de jubilado. Parecía uno de aquellos falsos pintores que había visto en los jardines de la estación de Atocha.

En la parada esperaban cuatro autobuses, y unas doscientas personas que formaban corros y charlaban animadamente, como una logia de judíos norteamericanos haciendo turismo por Europa. Algunos llevaban *tupperware*, y otros no se desprendían de las postales que les habían dado los organizadores, con toda la familia Robinson posando junto a *B9*, el robot de la serie. Aunque tuve la impresión de que muy pocos se conocían, la mayoría hablaba con cualquiera, como si compartiesen más similitudes que las piezas del ajedrez o los tubos de un órgano. No hablé con nadie y, cuando a las seis nos llamaron a ocupar el autobús, subí y me senté en uno de los asientos de ventanilla de la última fila. Era ya de noche, y con mis gafas y mi gorra de visera, consciente de la anodina comedia y el drama espectral que ocupaban el sábado noche de aquella gente, miré hacia el recibidor del Hotel Plaza. Una señora de mediana edad me saludó como si me hubiera reconocido, y dijo:

—A ver si esa chica nos lo aclara todo.

—¿Cree que hay mucho que aclarar? —inquirí.

—Pues claro que sí. No me explico cómo a ese tipo no lo encuentra nadie, con los adelantos que hay ahora.

Una pareja de señores mayores —él tenía una bufanda muy parecida a la mía— salió del Hotel Plaza, saludó al portero bajo la marquesina y vino a colarse directamente al autobús. Tenían reservados los dos primeros asientos, al otro lado del conductor. Allí, ambos sacaron sus teléfonos móviles y se desentendieron uno del otro. Quizá yo fuera el único preocupado por su apariencia, pero al menos había conseguido no desentonar demasiado. En aquel grupo no había ningún tono. Los más jóvenes eran hombres y mujeres de mi edad, resueltos a vivir una noche divertida viendo cómo me pasaban por la picadora. Vi algunos abrigos de visón, y bolsos de Loewe, pero la mayoría fue capaz de no fijarse en ellos. Todo era festivo, desinhibido y cantonal, como un partido de fútbol. La señora que tenía a mi lado, después de hablar con los de la última fila, volvió a dirigirse a mí:

—¿No le han dado esto, joven?

Me mostró la foto de la familia Robinson, con la protagonista de la noche en segundo plano, y la cara de viejo pervertido del Dr. Zachary Smith, mirando al robot.

—¿Vio usted la serie? —le pregunté.

—No, claro que no. A mí me pilló demasiado mayor. Yo ya tenía edad de hablar con chicos en la heladería.

—¿Entonces por qué viene?

—Me gustan las actrices, sobre todo las americanas, aunque no las entienda. A esta la recuerdo de *Sonrisas y lágrimas*. Al menos, sabía cantar en español.

—¿Nunca ha estado perdida en el espacio?

—No, querido —dijo, tomándome del brazo, porque era una vieja acostumbrada a repetir las libertades adolescentes que los tertulianos se tomaban en los programas del corazón—. He estado perdida en muchos sitios, pero nunca en el espacio.

—¿Entonces no viene por ver qué dicen de ese tipo que habla de Penny Robinson?

—Desde luego que no. No me gustan los literatos.

Aquella mujer me resultó simpática. Era algo más joven que mi madre. Se había puesto un turbante color perla en la cabeza que la hacía parecer uno de esos bombones que sirven en las recepciones del embajador. Tenía las muñecas doradas de pulseras, como una paloma mensajera, y hasta me pareció que se había inyectado un poco de bótox en los labios. Todo es posible, pensé: quien no tiene ya nada que perder pierde el tiempo en programas de este tipo. Tampoco yo tenía nada que perder, así que había decidido tomarme aquella visita como un pasatiempo. La dama del turbante venía sola y no me conocía. Dos imponderables que volvían muy atractivo seguir en su compañía.

—¿No le gusta leer? —le pregunté.

—Me aburre. Soy insustancial, qué le vamos a hacer. ¿A usted sí? ¿Le gusta la posteridad, como dice el señor ese, el literato? No sé por qué le gusta, a él, digo, si no va a disfrutarla. ¿No cree que dejar un rastro es lo más inadecuado a que se puede aspirar?

—Sin duda —contesté.

—Es usted como ese señor.

—¿Qué? —pregunté, con un estremecimiento.

—Ese literato que ha mencionado. Lo digo por sus opiniones. Nunca las expresa. Además usa gafas, aunque son distintas.

La dama hablaba del hombre de Atocha, que gastaba gafas redondas.

—Veo bien. Son una pose.

—Parece usted una modelo. Pero quítese la gorra.

—No puedo. Nunca me la quito. Llevo debajo los ahorros de toda la vida.

—Con los tiempos que corren, estoy de acuerdo en que lo mejor que puede hacer es ser su propio banco.

—No confío en nadie más.

—También yo los llevo encima —confesó, bajando la voz con un gesto infantil.

—¿Bajo el turbante?

—No, aquí —dijo, haciendo tintinear las pulseras.

—Parecen valiosas.

—Son bisutería.

Se subió las pulseras, para mostrarme que ocultaban un Rolex Oyster Perpetual con incrustaciones de pequeños diamantes.

—Diamantes —dijo—. ¿Con qué riman? ¿O no es verdad que le guste la poesía?

—¿Con amantes?

—Buen observador.

—¿No ha traído a ninguno?

—Hace veinte años tuve uno que ahora es accionista de esta cadena. A veces, aún me obsequia con algún detalle. ¿De dónde cree que he sacado esto? —dijo, mostrándome la invitación de color azul, igual que la que Naya había conseguido para mí en Asuntos Exteriores y distinta a las rojas que llevaba el resto de la gente, rifadas en programas de radio o conseguidas del *staff*—: Una invitación VIP.

—¿Y ese señor no sabe dónde está el literato?

—Nadie lo sabe. Debe de estar escondido en los subterráneos del Banco de España.

—¿Usted cree?

—No se me ocurre otra explicación. Debe de tener amigos poderosos, gente de esa con yates y caballos. Creo que ni se habla con sus padres, y eso dice mucho de todo este asunto, porque yo me pregunto: ¿cómo saben las revistas que no se habla con sus padres y, sin embargo, ignoran su paradero? Aquí hay gato encerrado.

—Algún día aparecerá en televisión.

—Si eso ocurre, y quiere verlo, dígamelo y le conseguiré una invitación VIP.

El conductor nos dio la bienvenida, después iniciamos el camino hacia la Ciudad de la Imagen. Quedaban los dos últimos autobuses. Los otros dos habían salido minutos antes. La dama se ajustó el turbante. Sabía que existía la posibilidad de que la filmaran al bajar la escalerilla. Solían hacerlo con el público invitado, y era seguro que especialmente lo harían con ella, lo más parecido a una Gloria Swanson, cuando la vieran descender con su bolso imitación de Vuitton, que era una pieza clave en su *kit* de supervivencia para desenvolverse en la selva del qué dirán. Continuamente hurgaba en él, rasgueando el forro sedoso con aquellas uñas postizas de Nosferatu pintadas de azul violáceo. Se quitó el broche de la solapa y lo cambió por otro tan dorado como el primero. Sustituyó un par de pulseras con otras más finas. El Rolex no se veía demasiado. Sacó el espejo y volvió a evaluar el broche del turbante, que siguió donde estaba. Cuando llegamos a Campamento miró los interminables bloques de piso como si se lamentara de no presenciar ese hacinamiento desde un taxi, en lugar de un autobús lleno de gente que acaso viviera en lugares así.

Para mí todo era nuevo. Recientemente había tomado esa ruta, también en autobús, para ir a Extremadura. Me pareció que la diferencia era que entonces el destino era yo mismo, en tanto que ahora me dirigía a un estallido de aspavientos ajenos cuyo punto de no retorno había cruzado ya.

—Mírelos —dijo la señora—. Se quedarían toda su vida aquí montados. Les da igual. Yo seré la primera en bajar.

—¿Está usted hablando en símbolos?

—Qué más quisiera. A mi edad ya no hay símbolos.

La gente empezaba a animarse, aunque había algunos que exudaban algo rutinario, como asiduos de estos trayectos prescritos desde Plaza de España. Yo pensaba en Nené, en la necesidad biológica de fama cuyos síntomas sufría también la señora que viajaba a mi lado. Yo mismo era un prisionero de esa tentación inconfesable. Estaba escribiendo el libro a toda prisa. Es lo que Luengo quería: sacarlo del Arca de la Alianza que yo le estaba construyendo, forrada con pan de oro, para meterlo en un *tetrabrik*.

Llegamos y la señora se dio los últimos toques en el espejo. Yo opté por bajar tras ella, y cuando estuvimos en tierra hice que me tomara del brazo. Accedió, pese a mi gorra de los Yankees. Agruparon los cuatro autobuses con celeridad. Una chica con una tarjeta prendida del pecho, con el anagrama de la cadena y escasamente abrigada, nos anunció que nos guiaría hacia el plató. En efecto, había cámaras que tomaron algunos planos, todos lejos de donde estábamos. Esto incomodó a la dama. Quiso arrastrarme hacia la cámara, pero me mantuve donde estaba y ella tuvo que desistir. Prefirió ir acompañada de alguien mucho más joven, aunque sus mundanas amigas no se enteraran, cosa que, de todas formas, no iba a ocurrir, porque se había levantado una niebla bastante espesa.

Cuando accedimos al edificio la niebla nos siguió con tanta contumacia que me hubiera tranquilizado ver los quicios y dinteles de la enorme puerta metálica pintados con sangre de cordero pascual. Pasamos al guardarropa, y después nos condujeron al plató. Era un lugar más pequeño de lo que imaginaba. Acomodaron a los ocupantes de los cuatro autobuses mientras sonaba un hilo musical. Hubiese preferido perderme en el gallinero, pero la señorita de la placa, al ver nuestras invitaciones azules, nos obligó a ocupar las filas más cercanas al escenario. Mi dama del turbante no cabía en sí de gozo. Se sentó y colocó las manos sobre las rodillas. Aquello empezaba a ser mágico, y yo empezaba a arrepentirme de no verlo en la televisión, a mil kilómetros de distancia. Miré a mis pies y vi que parte de la niebla exterior seguía flotando bajo los asientos. Una premonición, sin duda, un signo de mal augurio. En el guardarropa habían querido que me despojase de la gorra. Me había negado, alegando que era una recomendación médica. Sin el abrigo de mezclilla, me habían dejado con un jersey gris con cuello abotonado que me tapaba casi hasta las orejas. Recibimos algunas instrucciones sobre los carteles que aparecerían: aplauso, risas y todo eso que a los galeotes obligan a hacer en las galeras. La espera no fue larga, aunque cuando todo terminó de montarse eran casi las nueve de la noche. El programa tenía que empezar a las diez, así que hice un par de llamadas telefónicas. Una a Naya, por si aparecía Nené. Otra a Bowman, para saber si Laura iba a venir al programa. No lo sabía, y me recomendó que no pusiera la tele esa noche. Sospechaba que de lo que menos iba a hablarse era de *Perdidos en el espacio.* De Laura sabía menos que yo, según sus palabras. Quizá fuera verdad. Bowman por fin era libre, si su libertad consistía en sumergirse noche tras noche, en el salón de su casa, en la niebla de *Casablanca*, idéntica a la que flotaba en Madrid en esos momentos.

—¿Es usted feliz? —le pregunté a la vieja, por saber algo de la condición humana.

—Lo seré más cuando todo esto empiece. Los preparativos me aburren más que una misa. ¿Ha ido alguna vez a misa? Pues esto es lo mismo, salvo que aquí todo es sagrado.

A las diez menos cuarto empezaron a aparecer los iconos a que se refería. La presentadora, muy conocida y popular, saludó al público. Iba a estar acompañada por los cuatro tertulianos que me habían hecho la vida imposible. Uno de ellos era Catwoman; otro, sorprendentemente, José Gaviota. Los dos últimos venían de la cantera: el exseminarista acartonado que siempre aparecía con la corbata amarilla y uno de los electrones del helio. Solo uno. Renuncié a preguntar cómo habían conseguido convertir el helio en hidrógeno. Alquimia, supuse. Parecía que todo iba a ceñirse a ese grupo con que yo ya tenía una relación basada en *El arte de la guerra*, de Sun Tzu, pero la presentadora anunció apariciones pendientes de confirmación. Todo era falso, estaban bien confirmadas. Era evidente que preferían mantener la sorpresa en conserva, incluso para la gente del plató.

Todo empezó a las diez en punto. Sonaron los aplausos, sin necesidad de cartelito, y entonces una de las cámaras sacó un plano itinerante de las dos primeras filas. Yo estaba encaramado en la segunda, lo cual indicaba que había gente de mejor extracción que la que provenía del Ministerio de Asuntos Exteriores, pero me mantuve tieso como un don Tancredo, con la gorra calada, en espera de que el técnico de la cámara se fijase en la figura, mucho más llamativa gracias al turbante, de mi compañera. Nadie me reconoció. La gente que tenía alrededor era lo bastante estrafalaria, con sus camisas de explorador y esos fulares que parecen fabricados por los inventores del garrote vil. Mi vieja siguió posando hasta minutos después de que la cámara se retirara. Fue el momento en que la presentadora anunció todo lo que se esperaba para esa noche. Espectacular, sin duda, así que aguardamos como una fila de pecadores a que se abriera el confesionario. Los tertulianos fueron desfilando. Catwoman miraba al público, pero nadie puede ver lo que se presupone imposible, y yo me sentía, por primera vez desde aquella foto en *La abuela Polina*, completamente a salvo.

José Gaviota era neófito, un maquinador solitario que trabajaba en casa. Llegó con su cartera llena de papeles y lo presentaron como uno de los hombres que más sabía de mí. Miraba igualmente a las gradas, y tampoco me reconoció. Los dos restantes se sentaron con profundos ceños en la cara, como grabados del Antiguo Testamento. El tema les asqueaba. Era de esperar. Nos asqueaba a todos, pero ellos se comportaban como si no estuvieran en televisión, de modo que supuse que les pagaban por expresar ese desprecio. La presentadora anunció otros dos participantes que llegarían en breve, uno de los cuales, según sus palabras, conocía todas mis opiniones sobre «la situación en que estaba inmerso». La cámara inició otro plano itinerante y me sacó de medio cuerpo en la pantalla del fondo. No supe si había oído bien lo último, incluso me ajusté las gafas. Aunque no tenían graduación, empezaba a verlo todo borroso. Laura, pensé, pero Laura había sacado ya bastante partido, durante bastante tiempo, al hecho de conocer mis opiniones sobre la situación en que estaba inmerso. Finalmente, anunciaron a la estrella para la que habían preparado todo aquello: Angela Cartwright, alias Penny Robinson. En esos instantes estaba saliendo del hotel. Una limusina plateada, semejante al Júpiter 2, la devolvía a La Tierra con cincuenta años más. Sabía que ese cambio no iba a producir efectos en la gente pero, ¿y en mí? ¿Podría mirar a Penny como lo que fue? Nunca me he considerado un fetichista al uso, aunque había visto en la red algunas entrevistas a la Penny actual, una mujer cuya sonrisa infantil era una luciérnaga que siempre la sobrevolaba. Había conservado su atractivo gracias al escapismo de mi generación, al rastro de aquella necesidad que habíamos tenido de estar en otra parte, cuanto más lejana mejor. Su atractivo era foráneo, al igual que los que la admiraban. En los Estados Unidos e Inglaterra era una desconocida.

La limusina estaba a millones de kilómetros, pese a que la separaban cien metros del plató. Se la vio entrar en el coche con diez cámaras alrededor, todas de la misma cadena. La narración en imágenes empezó con las palabras de la presentadora: «Ya la tenemos aquí», y esas mismas palabras, dirigidas a los participantes de la tertulia, sentados en la mesa, desnudaron la evidencia de que a mí no me tenían. José Gaviota repasaba sus papeles, y Catwoman recordaba mi incursión descabellada y triunfante en su portal, en pos del bloc de pintura. Han llegado a algún pacto, pensé. Apenas se miraban, y cuando lo hacían la frialdad indicaba, al menos, un pacto de no agresión.

En la pantalla del fondo, la que los invitados tenían a su espalda y solo podía ver el público, aparecieron imágenes del episodio en que los habitantes de un lejano planeta convirtieron a Penny en princesa, o algo parecido. Doblada en México, la serie había hecho de ella un personaje de telenovela. Pero todo aquello aburría a los circunstantes. Había, entre el público, muy poca gente de mi edad, y todo parecía traído por los pelos. Catwoman y el electrón se miraban como carniceros en una guardería, esperando que el guion les ofreciera una oportunidad de hacer lo que sabían.

La ocasión llegó cuando la presentadora anunció a Laura. En la pantalla del fondo apareció la foto que tanto había comentado ella misma, troceada por las líneas de la persiana de aquel lejano atardecer de verano. Yo apenas lo recordaba. Mi memoria había extraído de él elementos dispersos, y al final otros recuerdos de aquella época me impedían ya poner en claro lo que verdaderamente ocurrió.

Todo el mundo conocía a Laura. Ella fue la que cerró definitivamente el asunto de si yo había tenido una novia llamada Annabel Lee, ella la que explicó las relaciones entre mi forma de vivir y lo que esperaba de la posteridad, y finalmente intentó explicar que yo no era el tema de los periodistas del corazón, sino ellos el mío. Cierto que presentó tales paradojas de la forma más conveniente a sus intereses, pero pronto el público consideró que no tenía más que decir. Al público solo lo seduce lo literal, huye de la especulación como un verdugo del existencialismo. Laura intentó aclarar muchas cosas sobre mí, como si quisiera, después de todo, ayudarme, hasta que se vio atrapada entre las revelaciones que había hecho y su papel en las mismas. La única conclusión que sacó el personal fue que ese papel no se había renovado desde la universidad. Ni siquiera conocía a Penny Robinson.

Se sentó a la mesa y miró a la grada, también sin verme, con la convicción inconsolable de estar allí con la pistola descargada. Comparecía con el zurrón de las revelaciones vacío. Después, la presentadora anunció la exclusiva con palabras que le habían marcado en la cartulina: «Quizá la última persona que ha hablado con Alonso Guerrero en los últimos días. Una mujer que ha tenido con él una relación muy especial y nos lo va a contar a continuación». Entonces dio paso a Nené. Apareció con el traje ceñido, color champán, que había visto en su *book*. Al menos esta noche sabrá lo que es la fama, pensé. Le pusieron una música bastante estridente y el público empezó a aplaudir, mientras ella besaba a todos, en especial a Laura, con la que sin duda había hablado durante la sesión de maquillaje. Entonces me expliqué la actitud de los que iban a participar en el debate. Nené los dejaba a todos con tres palmos de narices. Ni las investigaciones de José Gaviota, ni la venganza de Catwoman, ni la mala leche ejercida de oficio por los otros dos servían ya de nada. Nené lo había dicho todo, y ahora tendría que repetirlo.

La presentadora le preguntó su nombre y, de súbito, mi foto apareció en la pantalla, una foto antigua, con diez años menos, casi irreconocible en mis facciones actuales. Lo comprobé cuando un nuevo plano itinerante me puso, en la pantalla dividida en dos, al lado de quien había sido. Los de la mesa no pudieron verlo, y la gorra y las gafas atenuaron el parecido, pero mi propia estupefacción me impidió taparme o girar la cabeza. Sin embargo, ni la dama del turbante se sintió turbada, porque después apareció ella, sonriente y meditabunda como la Mona Lisa. El plano se cortó con nuevas imágenes de la limusina de Angie Cartwright. La habían vestido con un traje ceñido de color plateado. Ya no era una niña, pero lo habían arreglado con un largo boa de plumas artificiales, color blanco, que podía enrollarse por todo el cuerpo. La limusina había llegado a la puerta del galpón donde estaba el plató. Supuse que la harían esperar hasta que Nené dijera lo que había venido a decir.

Las respuestas estaban escritas, solo había que formular las preguntas. Nené fulgía como un arcoíris entre montañas. Aquella era una nueva página de su *book*, la más imperecedera. Laura la miraba con la frialdad de quien le ha dado el relevo. La presentadora le preguntó su nombre, ella lo dijo. Nené. No hacían falta apellidos y Nené fue aceptado como nombre de pila. ¿Por qué no? La moderadora le hizo la segunda pregunta:

¿Cuándo me había visto por última vez? Ayer, dijo ella. ¿Qué relación tenía conmigo? Una relación de amigos. ¿Solo amigos?, la pregunta fue formulada de modo retórico, con los ojos de la presentadora en aquel guion que, por primera vez, decía cosas que realmente habían pasado. Amigos, repitió Nené. ¿Y hasta dónde ha llegado esa amistad? Me he acostado con él, contestó ella.

El público dejó escapar un suspiro de cansancio y sorpresa, como un perro al que le aplican una inyección de anestesia. Eso era empezar por lo más inaplazable. Miré a mi vieja. El crédito que le daba a aquel comienzo se traslucía en un gesto que yo había aprendido a leer: la forma en que entrelazaba los dedos. Nené parecía incómoda, pero así era la fama. Comprendí aquel «no me reproches nada, haga lo que haga». Había cerrado lo del programa antes de verme la última vez, quizá teniendo en cuenta que iba a ser por última vez. No podía reprocharle nada. Tampoco a mí mismo, aunque el reproche era el componente que mejor funcionaba en mi prosa. Humano, todo demasiado humano. ¿Cuándo?, siguió preguntando la presentadora. Aquello abría más caminos que los que podían cerrar las escuetas respuestas de Nené. Hace unos días. ¿Dónde? Aquí, en Madrid. ¿En su casa? En una casa compartida. ¿Te habló de su esposa? Yo le hablé de ella. La quiere, contestó Nené. Y pese a ello ha cometido una infidelidad contigo, como podrá deducir nuestro público. ¿Qué piensan los componentes de la mesa? Nuestro psicólogo acaba de incorporarse, anunció. Era el mismo que había sostenido aquellas tesis tan concluyentes sobre el amarillo del platillo volante y el azul del universo que yo había pintado. Era de esperar, este hombre necesita un modo de afirmarse, dijo el psicólogo. ¿De afirmarse? Este tipo es un sinvergüenza, terció el electrón de hidrógeno, y el ex seminarista, que había recurrido de nuevo a la corbata amarilla, apoyó esta opinión rememorando las advertencias que había arrojado acerca de mí desde que el asunto saltó a la actualidad. Nené entonces tomó la palabra y dijo que el sinvergüenza, según su opinión, era el tipo de la corbata amarilla. Entonces el aludido dijo que iba a demandarla si seguía por ese camino, que nadie tenía derecho a que cuestionaran su honorabilidad. Catwoman permanecía en silencio. Al ser preguntada declaró que había muchas cosas que cambiarían la idea que la gente tenía de mí si ella hiciera ciertas revelaciones, pero de momento iba a guardar silencio. Ella también me había visto en persona no hacía muchos días, aunque no se hubiese acostado conmigo, y el señor Gaviota había sido testigo de ello y podría corroborarlo. José Gaviota seguía con sus papeles. Su objetivo era mi vida y, en cierto modo, aspiraba a arrancarme algún retazo. También él escribía, pero los hechos a que alude la señorita, dijo, refiriéndose a Nené, no los consideraba pertinentes.

El móvil vibró una sola vez en mi bolsillo. Sabía lo que era. Un mensaje de mi esposa. Un mensaje escrito. Estaba viendo el programa y no quería hablar conmigo, únicamente me enviaba su visión de adónde había llegado nuestra relación. Tampoco quería preguntarme si lo que estaba oyendo era cierto. Hacía días que no hablaba con ella, como si el silencio formara parte de hechos que no podía negar. Me conocía lo suficiente para intuir qué era real y qué no en todo lo que decían de mí. Una gélida inhibición me impidió leer el mensaje. Lo haría cuando el espectáculo acabase, en un salón con todas las puertas cerradas. Que mi esposa supiera la verdad no era lo que me preocupaba, ni siquiera no habérsela dicho yo, sino los cien mil caminos más dignos que no había tomado. Aquel final solo era el más caprichoso.

El electrón, enfundado en un vestido negro que parecía caro, volvió sobre su tema preferido. Dijo que a ella le parecían despreciables mis deseos de posteridad. ¿Es que yo no valoraba sentarme frente al público y contar lo que pensaba, con toda honestidad, en lugar de escribirlo en libros que no se entendían? Vertió sus dudas sobre Nené. Se había acostado conmigo, así que Nené estaría al tanto de lo que yo esperaba de la vida, incluyendo a la propia Nené.

—Lo sabe muy bien —contestó Nené

—¿Y qué es, si es verdad que lo sabe?

La dama del turbante se mostraba cada vez más atraída por lo que hasta ese instante no le había interesado nada. Inclinó su cuello de tortuga, como si en lo que iba a decir Nené hubiera un sentido oculto que fuese a luchar para no meterse en el micrófono, y me susurró al oído:

—Ese tipo debería grabar esto, y ponérselo cuando su mujer le arroje las maletas por la ventana.

—¿Como escarmiento?

—¿Escarmiento? Para partirse el culo —dijo la vieja—. Esto tonifica más que contar chistes en la sauna.

—Lo que desea es que os olvidéis de él —soltó Nené, tuteando a todos de la manera más hiriente—. Dejadlo en paz.

Lo dijo con una orla de fiebre en los ojos. Quizá ese tono sea lo único que deba reprocharle, pensé. Sin embargo, era sincera. Se había sentado en aquel plató para conseguir algo más que devolverme al anonimato, pero su fama seguía en rehabilitación, postrada como una durmiente en espera del beso. Había conseguido que yo asistiera sin ser reconocido a un plató de televisión. Las gafas y la gorra no eran más que borrosos caminos sin retorno. Pensé que si estuviera sentado junto a William Faulkner, ambos seríamos los más anónimos del público asistente, pero con aquel turbante a mi lado existía el riesgo de que todo el mundo reconociera a Faulkner e hiciera una cola para pedirle autógrafos.

El tipo de la corbata recurrente parecía desorientado. Carraspeó y buscó una defensa. También a mí me sorprendió aquel ataque de Gorgona. Nené mantuvo la mirada de todos, algo parecido a una reacción frente al mundo, pese a los desvanecimientos en que la precipitaba la corbata color lima agria. El propietario de la corbata se llevó pudorosamente la mano al nudo, como si se tratase de un taparrabos, y se defendió diciendo:

—¿Y dónde nos deja eso a nosotros?

Hubo risas entre el público. Los ojos de Nené se agigantaron en la pantalla, dolientes y perseguidos. Se les notaba el cansancio y la presbicia de quien revuelve una cazoleta, en el río de la vida, en busca de un sentido. Nené conocía por fin la situación en que se había colocado, la conocía mejor que yo, y eso la llevaba a suplantar con un alud de ira la poca fuerza que le quedaba.

—Vosotros no sois nadie. Solo las pequeñas dificultades que habrá que superar para comprenderlo.

—¿A él? —dijo el pelele de la corbata, y yo miraba el callejón sin salida en que Nené se había adentrado con su impermeable transparente.

Vete de ahí, pensé. Vuelve a tu *chat* de personas inexistentes. Comparado con este, en aquel lugar estás viva. Sin embargo, pareció que una dosis excesiva de rencor contra el presente mantenía a Nené con las piernas cruzadas en aquella silla de diseño. Una cámara le enfocó la cara a dos escasos palmos, y sus ojos aparecieron en la enorme pantalla del fondo como los de una posesa sublime. Lo mejor era que tomara lo que había venido a buscar y huyese. ¿Quería la fama? Quizá aquella mirada justa y colérica se la hubiese dado ya. Nadie había mirado así en televisión. Que la tomara, sin aceptar nada más, y se olvidase de mí. Saqué el teléfono móvil y le envié un mensaje, por si había una posibilidad de que lo mirase, por si no había desconectado el teléfono y podía permitirse lo que todos aquellos muertos de guardería que participaban en el programa hacían continuamente: mantener el contacto con la inopia, que era lo único que no estaba allí mal visto. *Levántate de la mesa y no vuelvas. Me encontraré contigo en la puerta principal*, le escribí. Pero Nené había dado con algo en lo que creía. No luchaba por mí, sino por sí misma. Se revolvía contra la fama que había ido a conseguir y contra el fotógrafo de París. No quería recuperar el tiempo que había perdido haciéndose el *book*. Quería destruirlos a ambos, el tiempo y el *book*, con un gesto que la pusiera al inicio del camino. Aquel era su gesto. Laura también lo sabía.

Había entrado por la misma puerta y caído en las mismas arenas movedizas.

—¿Cree usted lo que lleva diciendo al menos dos semanas? —siguió Nené, encarándose con el psicólogo—. Seguro que hasta hay por ahí una asociación de muertos vivientes que le ha colegiado…

El dibujo del platillo volante fue a parar a la pantalla y el psicólogo se sorprendió de encontrarlo allí. Laura lo miró y, justo en ese instante, la foto veraniega que ella había vendido para divorciarse, con su cuerpo joven y rayado de luz, fue sustituida por el dibujo. El dibujo era más pornográfico que la foto. Todos tenían la cabeza vuelta hacia la pantalla cuando apareció el público, con el turbante de la señora que tenía a mi lado en el centro, y mi cara demudada junto a ella, como un operario de mantenimiento, con aquella gorra y las gafas más impersonales que ningún vendedor ambulante había expuesto en una manta de la calle Preciados. Nené estaba demasiado exaltada para fijarse en mí, y eso arrastró a todos los demás.

—¿Cuándo va a decir algo que no le hayan ordenado que diga? —preguntó al psicólogo.

Pero había ido a jugar con la verdad al peor garito. Lo único que allí podían hacer con la verdad era una autopsia. El psicólogo apenas se sintió aludido, y puso una cara que daba a entender que la única opinión que podía tener de Nené era una opinión médica. Sin embargo Laura, como si todavía estuviese enamorada de mí, escrutaba los ojos insondables, los labios descarados y aquella piel de Nené, ya perdida para el resto de las mujeres. Quizá tras robarme la foto hubiese empezado a preguntarse por qué yo la había conservado. También yo me preguntaba. Quizá en previsión de aquel momento. Quizá porque la vida, para un escritor sin posteridad, deja de tener sentido si no se contemplan los rastros de esas posibilidades: un amor perdido, una ocasión insospechada y meticulosa de recuperarlo… Siempre mujeres, siempre una mujer, como si el resto de los caminos atravesaran campos yermos. Solo una mujer podía sustituir a otra, y solo por ser una mujer. En medio de ese calidoscopio, yo empezaba a envejecer. Comenzaba a ser accesible a las mujeres, en tanto que ellas se volvían sombras. Eso era la experiencia. El gesto de Nené, enfrentándose a aquel tipo que no entendía el significado que tenía un platillo volante para un niño, golpeó en la puerta tras la que aún me sentía vivo. Penny Robinson estaba a punto de llegar en su limusina espacial. Las cámaras transmitían algo parecido a una guerra, con aquellas luces de consulado puesto de gala para la última noche. También Nené quería decirlo todo antes de que la alfombra roja apareciese como una catarata de ópera, con su papel de tornasol y sus anclajes de tramoya. Había suspirado por llegar a ser alguien que puede morir, pero no caducar, y ahora reparaba en que podía llegar a serlo sin tener nada que decir. Poseía un *book*, sí. Por primera vez en su vida se refugió en él. Sus fotos aparecieron en la gran pantalla del fondo. Las cámaras que las sacaron la habían tratado infinitamente mejor que las que ahora la enfocaban, manejadas por imbéciles que comían chicle y se calaban gafas inservibles para cualquier distancia. La presentadora, un perro que olfateaba su despecho, le preguntó:

—¿Va a volver a verle próximamente?

—Jamás volveré a verle, ni a ti tampoco.

—¿Ha sido él quien le ha pedido eso?

—¿No te parece que tiene razones suficientes?

—¿A qué se refiere?

—A estar aquí, por ejemplo.

—¿No ha venido por propia voluntad?

—Me refiero a razones como esa.

—¿Está enamorado de usted? ¿Se lo ha dicho alguna vez?

Nené guardó silencio. Tenía ganas de hablar, pero no sobre lo que ellos querían. Eso ocasionó el corte que estaban esperando para ceder paso a lo que se preparaba fuera. Nené se encastilló en una especie de pose resentida y puso cara de pensar que lo poco que había dicho era lo contrario a lo que pensaba. Le envié un segundo mensaje, confiando en que hiciera lo que hacían todos los demás: consultar el teléfono cuando la cámara no los enfocaba. Era un modo de comprobar si la vida seguía reclamándolos, pese a que ellos la despreciasen. *No digas nada más. Estoy entre el público. Te veré fuera.* Se lo envié y noté que ella oyó el timbre de recensión, pero no tocó el teléfono. El resto del tribunal la miraba incómodo, porque Nené era un testigo inesperado tanto para el defensor como para el fiscal. Todos eran conscientes de que podían sacarle mucho partido, pero la farándula se imponía. José Gaviota consultaba sus papeles, pero no encontraba a Nené en ninguno de ellos. Catwoman la observaba de tapadillo, y Laura se sumergía en un pasado del que hubiera deseado conservar más vestigios. Era yo quien la había bautizado en ese río, yo quien quería seguir siendo joven. Quizá fuera un remedo de juventud, pero hasta Bowman luchaba por él cuando se pasaba ocho horas delante de la pantalla de vídeo. Laura, pese a ser más joven que la Ekberg, seguía dentro del tiempo. La Ekberg, y también Nené, habían ya salido de él.

Vi que era Laura la que tiraba de su teléfono y enviaba un mensaje que sentí llegar al mío: *¿Qué edad tiene?* —decía—. *Da igual: vas a sufrir.* Claro. Los hombres de cuarenta y tantos siempre sufrimos cuando nos enamoramos de chicas de treinta. Laura sustentaba esa premonición sobre el supuesto de que los hombres de cuarenta y tantos tenemos sentimientos, en tanto que las chicas de treinta no llegan a ellos hasta que poseen algo que teman perder. Laura lo pensaba acerca de sí misma. También había tenido treinta. A esa edad ya había dejado parte de sí misma en algunas oficinas de objetos perdidos. Miraba las fotos del *book* de Nené como si los treinta de Nené fueran suyos, aunque tenía veintitrés aquel día que le tomé la foto con el cuerpo surcado a zarpazos por la luz del verano.

Cuando los ojos de ambas se encontraron, cruzando una puerta que a ninguna conducía a nada, ni ninguna había abierto, se produjo un intercambio muy propio de mujeres. Los motivos que las habían llevado a aquel plató dejaron de importar. Solo me importaban a mí. Ellas representaron un forcejeo sin intención en el que ninguna sabía qué derecho tenía la otra a estar allí. Todo formaba parte de una oportunidad que había pasado como un rodillo sobre mi existencia, y ambas la habían aprovechado. Qué hermosa era la fama. Una tenía que divorciarse, y la otra había encontrado por fin a su Denis. En mitad de aquella mirada donde las dos pareció que terminaban abrazándose, como púgiles, irrumpió la presentadora, anunciando a Penny Robinson.

Penny entró precedida del aplauso, envuelta en su papel aluminio. El boa había bajado del cuello a la cintura, y alguien le había puesto en la mano una pistola espacial que parecía un secador de pelo. Vi que Nené, entonces, miraba el teléfono e, inmediatamente, se le escapaba una sonrisa. Me buscó entre el público, sin dar conmigo. La gorra y las gafas eran dos motivos tremendistas que por fuerza se lo impedían. No hice ningún gesto, porque la cámara me rondaba. Me sumé al aplauso de la multitud como un alemán del año 35, y Nené terminó bajando los ojos. Comprendió que ese inquirir entre el público podía delatarme, así que siguió la puesta en escena de Angie Cartwright. La invitaron a sentarse, en un sillón tan plateado como su traje. Todo se había vuelto plateado. Los que allí estábamos habíamos visto a gente del *staff* acolchando con la gomaespuma de Irwin Allen los divanes en que habían de sentarse la Cartwright y mi psiquiatra. Yo no perdía de vista a Nené. No me pareció que aquel súbito fingimiento fuese a durar demasiado y, en efecto, en cuanto las cámaras se volcaron sobre Penny, Nené se levantó y salió del plató como un puritano de una mancebía. Una azafata intentó retenerla y devolverla del brazo a su asiento, pero ella se zafó de un tirón. Odiaba y compadecía lo que había sido ella misma, una azafata. Laura la vio irse con una especie de sonrisa que no le sentaba bien, más propia de las matronas pérfidas de Disney.

Intenté levantarme, para ir al encuentro de Nené. Mi curiosidad por conocer a Angela Cartwright en carne y hueso estaba muy mermada. Ella, por más que le preguntaran, no podría decir nada de mí, si acaso agradecer lo que había agradecido tantas veces: la admiración infantil y rudimentaria que toda una generación le había rendido treinta y cinco años atrás. Ese intercambio de efusiones tenía trazas de convertirse en una exhibición de fuegos artificiales, y todos los fuegos tienen un final triste, cuando vuelve la oscuridad y uno regresa a casa cargado con más deslumbramientos que visiones nítidas. Sabía que mi nombre iba a aparecer en algún momento, aunque fuese en boca del psicólogo, pero Nené me esperaba. La búsqueda de la fama la había llevado a la incertidumbre. Ser famosa y ser una azafata de congresos era lo mismo. Ambos destinos eran dos paradas hacia el mismo lugar, ambos la conducían a una puerta de servicio, y era allí donde yo le había dicho que me esperara. La misma azafata que intentó detenerla fue a mi encuentro y me pidió que me sentara. Inventé una excusa incontestable. Esa mujer, dije, es mi Dorian Gray. No se inmutó, pero me dejó largarme. Es lo que pasa con las azafatas. El tumulto organizado por tanta gente sentada restó evidencia a mi desaparición, y nadie me acompañó fuera, porque aquel hermoso perro ovejero que había escuchado mis excusas estaba ahora atareado en buscar a alguien que ocupara mi lugar junto a la vieja del turbante.

Atravesé hangares alumbrados por grandes paneles de televisión. Repetían los besos que la presentadora le daba a la recién llegada. Todo estaba lleno de cables. Había despachos entreabiertos y vacíos. Me colé en algunos, pero no vi ni un alma, así que dejé que todo fuera recuperando el silencio detrás de mí. Fuera, la niebla era más espesa. Nené aún no había salido. Encontré una cafetería al otro lado de la calle, con una zona de *buffet* recién fregada, y me metí en ella. Desde un enorme vitral entre dos pantallas de televisión, podía vigilar la puerta del galpón, sumida en la penumbra, que llevaba al plató. Me senté en una mesa y esperé, sumido en la contemplación de la niebla con mis gafas de hombre invisible. Habían sentado a una traductora junto a Penny, y todo parecía mucho más importante, porque la gente tenía que esperar a que ésta dijera lo que la entrevistada había ya olvidado. Su sonrisa inocente se mantenía hasta transformarse en pose, mientras la traductora imitaba la curvatura de sus labios, improvisando como si quisiera llegar al espíritu de aquella sonrisa esbozada treinta y cinco años antes.

La cadena no había reparado en medios para que Penny pareciese una alienígena, ni tampoco para que lo pareciese yo. No solía ver televisión habitualmente, a menos que acompañara a mi hijo. La televisión es como un barco con el fondo acristalado: las cosas que tenemos a un metro parecen las más inalcanzables. Enseñaron a Penny mi dibujo. El platillo, el universo azul, las lucernas petrificadas de la Vía Láctea, todas en sus candelabros, tapando los espacios vacíos, que son los lugares donde los niños suelen poner las piezas que les sobran cuando vuelven a armar el mundo. A ella le pareció muy gracioso el dibujo. Riéndose, quitó al universo la debilidad que yo había proyectado sobre él, según el psicólogo. Mis hijos, dijo, según la traductora, han hecho muchos dibujos parecidos.

Todo terminó ahí. Le preguntaron si sabía quién era el autor. Contestó que no, aunque le había parecido que todo el mundo lo sabía, pues no era la primera vez que se lo preguntaban. Entonces mi foto salió en la pantalla central del plató, y observé, en otro plano itinerante recogido en el rompiente del público, que la señora del turbante miraba a su lado y descubría al individuo que había ocupado mi lugar, un tipo con una cazadora de cuero cubierta de chapitas contra esto y aquello. No se había dado cuenta de que me había marchado. Eso casi me indigna, igual que a un actor al que no conocen en la calle. Menos mal que a la cara de sorpresa de la señora le siguió otra de pena. Dijo algo a aquel hombre: *¿Quién diablos es usted?* Lo leí en sus labios, pero la cámara la rebasó y volvió a Angela Cartwright.

Nadie en la cafetería hacía caso de aquellas dos pantallas. Supuse que el camarero y las cuatro o cinco personas que había en la barra estaban allí para olvidarse de la programación. Sin embargo, los dos televisores tenían el sonido bastante alto. La gente volvió a aplaudir, porque cómicos contratados irrumpieron en el plató, caracterizados como los personajes de la serie, y rodearon a Penny, que se reía como si fuesen sus viejos conocidos. Los tertulianos, excepto Laura, manejaban sus libretas y apuntaban con sus Mont Blanc. José Gaviota había aprendido a desprenderse de sus gafas Tag Heuer de quinientos euros, y dejarlas encima de la mesa, para lucirlas. Le habían dicho que incluso los hombres que creían en el periodismo tenían que respetar las apariencias cuando asistían a algún programa de televisión.

Pero quizá me había demorado demasiado. Empezó a parecerme que Nené tardaba. Había salido del plató con una decisión que no presagiaba hacerse esperar. Sin embargo, era ya innegable que esa decisión había encallado entre el lugar del que huía y el mundo inhóspito que iba a acogerla de nuevo. Miré por los alrededores. La rueca de la niebla ponía extraños emparrados en las farolas, y al final entraba por la puerta del hangar donde la gente fingía vivir lo más memorable de su vida. O quizá no lo fingiera.

Iba a pedir un café, pero aquel retraso me inquietaba. Me lancé a la calle de nuevo, y después hacia el hangar lóbrego donde el mundo se estibaba en despachos. El silencio era idéntico. Las pequeñas piezas seguían alumbradas por flexos, y el rumor de una conversación lejana me llegó a los ojos a través de una oscuridad encadenada a otra. La penumbra parecía más cercana y más ajena que los aplausos, tan remotos que sonaban como ruidos de tambores. Así adoraba el público a Penny Robinson. Oí la voz de Nené, diciendo:

—¿Es eso lo que me ofrece? No quiero venir a más programas como este. Detesto el dinero ganado de esta forma. Detesto a los que aplauden sin saber por qué. Son como usted, solterones de *boîte*. Preferiría que estuviera casado. Al menos, la jugada le haría correr algún riesgo…

Fue cortada por una voz masculina cuyo mensaje no entendí. Mis sentidos habían aprendido a macerar la voz de Nené. Las demás se me hacían borrosas, pero el silencio que precedió a aquella voz masculina indicó que el tipo sí estaba casado. Me acerqué al despacho del que salían las voces, pequeño como un transformador eléctrico y, de hecho, se veían varias filas de cables subiendo por la pared. En medio había una mesa, y detrás una estantería con archivadores sin una sola inscripción. Esto me llevó a pensar que eran más importantes de lo que parecían.

Nené tenía una copa en la mano. La botella de ginebra de la que había salido descansaba, junto a otras, en una bola del mundo abierta. Un detalle *retro*. El hombre y ella estaban de perfil, de modo que no podían verme, porque el habitáculo, aunque era muy estrecho, se alargaba hasta llegar a las estanterías. El hombre seguía hablando, pero los aplausos me impedían oírlo. Pensé que venían directamente del plató, pero no. Al fondo había otra televisión, enorme para la anchura de la pieza, con el volumen bastante alto. No comprendía por qué estaba encendida aquella televisión, ni por qué repetía lo que ya había visto en la cafetería. Parecía una imagen diferida en varios minutos. ¿Era simple deformación profesional? Quizá desde el productor hasta el último redactor de aquel edificio necesitaban tener una pantalla al lado, para no perder el contacto con el mundo, precisamente con minutos o segundos de retraso debidos a la jerarquía.

Agucé el oído. El hombre miraba a Nené como si el interés por ella fuese sobrehumano. Había observado muchas veces esa mirada, la había imaginado en mis ojos y descrito en mis libros, antes y después de conocer a Nené. Todos los hombres teníamos interés por Nené, pero a medida que escuché lo que decía aquel desocupado con responsabilidades enormes, me di cuenta de que no era el interés de un hombre por una mujer.

—No se trata de programas, pero quédate aquí. Te pondremos en cualquier lugar.

—¿Quiénes me pondréis? ¿Me vais a regar todos los días?

—Tu belleza puede llevarte a lo más alto.

—Eso espero, porque de momento mira dónde estoy.

Entonces el hombre hizo una de esas preguntas que no necesitan contestación:

—¿Qué sabes hacer?

—Beber. Solo beber —dijo Nené, rellenándose la copa—. Me bebería las lágrimas de todos esos que aparecen en tu programa.

Pensé que estaba diciendo la verdad, que era una prisionera. El hombre, que también lo sabía, jugaba con el extraño eco que llega de la naturaleza humana a un plató de televisión. Dijo:

—Pero tienes que volar más alto.

—Claro, tengo que volar mucho más alto. ¿Quieres que te traiga a ese tipo?

—¿Qué tipo?

—A Guerrero.

—Ese tipo no es nadie. ¿Te imaginas qué podríamos hacer con él si lo tuviéramos sentado en el plató?

—Lo tenéis sentado en el plató —dijo Nené.

—¿Qué quieres decir?

—Está entre el público.

El hombre se sorprendió un segundo. Después dijo:

—No pensará entrar en directo…

—No creo que se le ocurra.

—Muy bien, que piense que es un hombre de acción. Ese tipo no puede aparecer así. Acabaría con el espectáculo.

—¿Por qué lo perseguís, entonces?

—Se le busca, pero nadie quiere encontrarlo. Ese es el espectáculo.

—¿Quieres decir que nadie pretende preguntarle nada?

—Ningún guionista sabría qué preguntarle. A nadie le interesa lo que tenga que decir.

—Bueno, al menos se enterará —dijo Nené—. Yo se lo diré.

—Ya lo sabe. Si dices que está entre el público, es que lo sabe muy bien.

—No tenéis entrañas.

—También tú lo sabes. ¿No estás aquí? Sabes cuál es el precio de la entrada.

—Una necesita equivocarse cada cierto tiempo. No hay nada como caer en vuestras trampas para saber que no sois cazadores. Sois matarifes.

El tipo no apartaba un segundo los ojos de la pantalla. Laura y José Gaviota se habían enzarzado en un cruce de opiniones sobre qué había visto yo en aquella mujer que era una niña hacía treinta y cinco años, Penny, y Angela Cartwright les disparaba a los dos con su secador de pelo. Todo era deprimente y gélido, como un cadáver encontrado en la alta montaña. Tan gélido que de pronto me sentí atraído por la ginebra que Nené tenía en el vaso.

—Puedo darte la oportunidad que necesitas, pero antes deberías deshacer lo que has hecho y volver a sentarte ahí —dijo, señalando a la pantalla, aunque lo que aparecía en ella hubiese ocurrido al menos tres minutos antes.

—¿Para qué? —preguntó Nené—. ¿Para que los que mandan te den a ti la oportunidad que tú necesitas? Serías más convincente si solo quisieras echar un buen polvo conmigo. ¿No crees que entonces sí me tratarías como lo que soy?

Catwoman seguía negándose a hablar de Penny Robinson. Para ella, lo más interesante era yo: mi actitud, mi vida de ladrón de cadáveres en un Madrid azotado por los fríos de diciembre. Había llegado tarde a las aventuras de la familia Robinson, aunque se hubiera visto en vídeo al menos la primera temporada de la serie, y eso la relegaba a una posición de segundona. La propia Angie Cartwright empezaba a hacer preguntas sobre ese personaje que era su admirador y del que nadie sabía su paradero. De vez en cuando mostraban, alternas, las imágenes de la entrada de las cámaras en la habitación del hostal Nuria con las del plató, tres minutos más viejas, en las que Catwoman parecía una mujer a la que medicaban en una silla de ruedas, frente a un jardín lleno de tilos.

—Me llamo Ernesto. No te lo había dicho —dijo aquel emprendedor de la cadena—. Déjame que haga una llamada.

Sacó su móvil y marcó, sin apartar los ojos de Nené, mientras tomaba unas fotos de la mesa, en papel, y las metía en un sobre. Nené no pudo verlas, pero yo sí, por el espacio que había entre el quicio y la puerta que se abría hacia afuera. Eran fotos en que aparecíamos los dos, Nené y yo, seguramente tomadas dos o tres días antes, en la cafetería de la calle de Carretas. Alguien nos las había hecho con una nitidez casi artística. Eran fotos en blanco y negro que parecían hechas con un gran angular. Solo pude ver las dos primeras. Nené estaba hecha para el blanco y negro. Reía, con el vaso elevado hacia mí, y yo la miraba como si tuviera su edad, y ella acabara de decirme que quería ser mi novia. En la otra se apoyaba en la mesa y casi miraba directamente al objetivo.

—Sí —dijo Ernesto—. La tengo aquí. ¿Qué hago?

—¿No vas a tomar tú esa decisión? —le preguntó Nené.

El hombre sonreía. Era evidente que no. Nené se había cansado. Quizá pensó en que yo seguía esperando fuera. Se dirigió a la puerta, pero el llamado Ernesto se interpuso como si le pidiera un momento de cortesía, no para él, sino para la persona que estaba al otro lado del teléfono. Conversaciones como aquella parecían usuales en sitios como aquel, en los que todo el mundo era un intermediario. A menudo esas conversaciones terminaban con alguien interpuesto en la puerta, en espera de que otro cortara un hilo y abandonase a alguien a sus fuerzas, o afianzara el nudo, para que alguien entrara en un plató. Nené no quiso esperar, y entonces el tal Ernesto, de espaldas a mí, tiró del pomo y cerró la puerta. Lo que iba a ocurrir detrás no precisaba de mucha imaginación. Oí un par de frases hechas. Nené ya no interesaba a quien estuviera al cabo de la línea telefónica, pero a Ernesto sí.

—Van a venir a por mí —dijo Nené.

—¿Quién? ¿Este?

Supuse que las fotos habían vuelto a salir del sobre.

—¿Cómo han llegado hasta ti esas fotos?

—¿Cómo? —repitió el tal Ernesto—. ¿Las has visto? Estoy seguro de que no. La gente que toma estas fotos siempre se salta los pasos intermedios.

Pensé entonces que no había otra explicación: la mirada de Nené sabía que allí había una cámara apuntándola. No había podido evitar comportarse como si estuviera de espaldas a la Torre Eiffel, y delante de un tipo que no iba a ofrecerle el futuro, como a mí mi obsesión por *le mot juste*, sino encadenarla al presente.

—Déjame salir, imbécil —gritó Nené.

—Todavía no, querida —dijo el otro, como si repitiera palabras en un tono muchas veces empleado. De hecho, cuando abrí la puerta todo parecía una escena de teatro. El tal Ernesto intentaba tumbar a Nené sobre la mesa, sin soltar el sobre con las fotos. Ella forcejeaba, pero aquel personaje de la *commedia dell'arte* había conseguido colocarse entre sus piernas. La tele me pareció entonces atronadora, y los tiempos barajados por unas manos ilusorias, de pitonisa. Me di cuenta de que tenía mucho contra ambos. Casi era una víctima de los dos, aunque ellos mismos también fueran oponentes uno del otro. Sin embargo, no pude quedarme quieto. Tomé una de las patas huecas de una mesa que había desarmada y apoyada en la pared izquierda. Era ancha, pero apenas pesaba. Lo único que se le ocurrió decir al tipo fue:

—¿Pero qué hace aquí…?

Le golpeé en el hombro y, al ponerse de pie, volví a golpearle en la cabeza. Estoy seguro de que le di un tercer golpe, pero el cuerpo, al caer, me dejó frente a mis dos imágenes en la televisión, una junto a la mujer del turbante, la otra el reflejo en que enarbolaba la pata de la mesa. El diferido no era de varios, sino de muchos minutos.

Nené me abrazó y me dijo:

—Vámonos. No pierdas tiempo. No deben vernos.

El hombre había caído al suelo sin soltar su teléfono móvil, ni el sobre con las fotos que tenía agarrado con la otra mano.

Tuve que separarle los dedos para hacerme con él. Era inexplicable que se le hubiera ocurrido propasarse con Nené, si no podía tocarla.

—Deja ahí el sobre —me dijo.

—No. Me gustas en estas fotos.

—¿Son fotos?

—Lo sabes muy bien. Has posado en ellas mejor que en París.

Quería quedarme aquellas fotos en las que su encanto daba untura a mis ángulos de escritor sin público. Nunca me habían hecho una foto en la que no pareciese un dibujo del cuaternario. Por eso sabía que en las que había en el sobre mi fotogenia la había obrado Nené, el tránsito de cometa de Nené. El reportero oculto se había olvidado de ella, y me había enfocado a mí directamente, seguro de que ella actuaría como un fogonazo de magnesio.

A la salida me esperaban la triste calle de vecindad que había visto desde el *buffet* de la cafetería, y la puerta de hangar que cruzaba tanta gente famosa.

—No le habrás matado —dijo Nené.

—No, solo es un desmayo. He leído muchas novelas policíacas.

—Te ha reconocido.

—Pero no me demandará.

—¿Por qué lo sabes?

—Sus jefes no van a dejarlo. Me lo deben.

—¿Qué te deben?

—Que no haya irrumpido en el plató y les haya acusado de intentar robarme mi vida.

—¿Intentar? ¡Te la han robado!

—No, todavía no.

—¿Qué vamos a hacer ahora?

—Pedir un taxi, y después tener una conversación.

—Es lo justo —dijo Nené, tomándome de la mano—. ¿Vas a terminar ese libro?

—Cómo te has enterado de lo del libro.

—Me lo ha dicho él.

—¿Ernesto? ¿Y quién se lo ha dicho a él?

—Eso no lo sé.

Yo sí lo sabía: Luengo, mi Hetzel.

Encontramos un taxi en la pequeña explanada donde habían aparcado los autobuses. El conductor dijo que estaba esperando a un cliente, pero Nené le explicó que acababa de desmayarse, que era mejor que volviese a Madrid en ambulancia.

—¿Seguro? —dudó el taxista—. ¿Sabe quién es?

—Sea quien sea, en esta televisión merecen salir todos los días así.

Al taxista se le notaba con prisa, igual que a Caronte el día del juicio final.

—¿Eso es ginebra? —le preguntó Nené—. Inclúyala en el precio. Hoy tengo más dinero que Pink Floyd.

Había visto el cuello de la botella, de al menos dos litros, una botella publicitaria, sobresaliendo del respaldo delantero. Nené era de esas mujeres que podía olerla. No esperó a que el taxista se la alcanzase aunque, después de hacerse con ella, tuvo que colocársela entre las piernas para desenroscar el tapón.

—¿Te han pagado por adelantado?

—Claro, y por esas fotos que llevas ahí.

—¿Por qué no me lo dijiste?

—¿Vamos a tener ya esa conversación? —dijo, echando el primer trago. Como aquella mañana en la calle Montera, se tranquilizó al instante—. Pensé que te daría igual. Sales en todas las revistas. Para ti solo son más fotos.

Le dije al taxista que nos llevara al centro. No preguntó a qué lugar del centro. En Plaza de España Nené ya se había bebido casi medio litro. El taxista la miraba. No puso reparos en que siguiera bebiendo, pues era evidente que Nené no iba a dejar que le arrebataran la botella. Poco a poco, las palabras la fueron abandonando. Puso la cabeza en mi hombro y se dedicó a contemplar, como si fueran las gradas de un coliseo, los balcones de los primeros pisos de Gran Vía.

—¿Adónde vamos? —preguntó.

—A conocer a alguien.

—No quiero conocer a nadie. Quiero conocerte a ti.

—¿A mí? Mi mejor versión saldrá pasado mañana. No en las revistas, sino en las páginas de sucesos de los periódicos, en todos, por haber golpeado a un tratante de ganado. Si no lo he matado, hablará de ti. Dirá que es un atentado contra la libertad de prensa. Tendrás que declarar en el juicio, y visitarme en la cárcel. Repetirán el programa de esta noche, pondrán tu cara en las revistas del corazón, y te preguntarán cómo un hombre al que han perseguido todas las cadenas osa volverse y atizarle a un periodista en la cabeza, con la pata de una mesa. Resultará inexplicable.

—No lo has matado.

—Has tenido suerte. De todas formas dirás que no me conoces, ni quieres conocerme. Que todo fue cosa de una noche, que ese tipo al que golpeé te pagó para que me sedujeras. Es lo que más te conviene.

—Estás loco.

—Y tú eres una agente doble. Trabajas para la verdad y la mentira. Te mencionaré solo un par de veces en mi libro.

Llegamos a Banco de España. Le indiqué al taxista que girara a la derecha y, al llegar a Atocha, que bajara por Santa María de la Cabeza y girara otra vez a la derecha. Nené, a aquellas alturas, empezaba a trasponerse. Había vuelto a apoyar la cabeza en mi hombro y soñaba sin respirar, como un pescador de perlas. Se había olvidado de la botella, aunque el taxista, cuando nos detuvimos, me cobró quince euros por lo que había bebido, y los sumó a la cifra del contador. Nené despertó y se apeó sin reparar en que no llevaba la botella. Entonces le susurré:

—¿Una ginebra?

La campanilla de aquel torno sonó en su cabeza. Abrazaba un río que se le iba.

—¿Dónde? —preguntó, algo despechada.

—Aquí mismo.

—¿Dónde estamos? —repitió.

—En la calle de Tribulete.

—No la conozco.

—Has estado aquí muchas veces, al menos en efigie.

—¿Aquí? —dijo, abriendo los ojos frente a la fachada del teatro Valle-Inclán. El teatro no iba con ella.

—¿No te acuerdas de que vamos a conocer a alguien?

—¿Antes, o después de la ginebra? Entramos en el locutorio a la hora más internacional. Reconocí al hotentote de la cerveza, sentado y con las manos en el teclado, como el mono de Kubrick. Junto a él, Tomacito tenía a Catwoman en la pantalla. Esa chica no había renunciado a encontrarme, así que no me arrimé demasiado. Sabía que si veía mi sombra en la pared era capaz de reconocerme. Nené fue directamente a la barra y se pidió su ginebra. Al segundo trago se había emborrachado en el taxi, y ahora recuperó la sobriedad también al segundo trago. Todo en ella era un automatismo pendular que la llevaba y la traía, entre su mundo y el de los demás. Los pequeños reservados del locutorio estaban ocupados por gente cuya identidad miraba al exterior desde los trasteros de otros países. Pensé que quizá Denis no hubiese vuelto desde que perdiera a Nené. Era lógico. Tales tragedias ocurren todos los días. Nené se sentó, ya lúcida, frente a una pantalla, y yo tuve que desentenderme, porque Tomacito me agarró por los hombros y me dijo:

—Te buscan, cabrón.

—¿Tu mujer sigue contenta con el cambio?

—Eso es entre ella y tú. Hace tres días que no la veo.

Me puso su cerveza en la mano y me llevó ante la pantalla. Allí estaba Catwoman.

—Me has encontrado —escribí—. ¿Qué pasa? ¿No puedes sacarle más partido a la Cartwright?

—La Cartwright es como intentar atrapar el mercurio. Deberías ser tú el que estuviera aquí.

—He estado, entre el público, pero no he podido aguantar el olor.

—¿Y dónde estás ahora?

—Lo sabes muy bien. ¿Tan previsible soy?

—Te he reconocido por esa Lolita… —dijo Catwoman.

—¿Te gusta?

—Me gusta tu historia.

—Mi historia voy a escribirla yo.

—Lo sé. Luengo se lo ha dicho a todo el mundo. ¿Puedo prologártela?

—Eso lo hará Penny Robinson. Un prólogo en inglés, ilegible para los que no hayan viajado por el espacio.

—¿Qué vas a hacer ahora?

—Irme a casa, a ver si mi mujer me perdona.

—Nadie va a perdonarte, y menos tu mujer. Solo te queda la dignidad, no, la pose, de llevarte todo a la tumba.

—Soy joven para morir.

—Ya estás muerto.

—No eres la primera que me lo dice esta noche. De hecho, eres como aquel crítico que persiguió la noche de su muerte a Gerard Philipe, en el papel de Modigliani, para comprar todos sus cuadros.

—Déjame hacerte una entrevista, profunda, donde puedas decir todo lo que sientes, sin intermediarios. Sin intermediarios ni productores que hablen por la gente. Nada de chorradas, solo tú y yo.

—Lo siento. No puedes renunciar a lo que eres.

Me levanté y le cedí el sitio a Tomacito. Aquella historia entre ellos parecía que prometía, porque ni siquiera se fijó en Nené. Nené había recuperado su cuenta de Skype e intentaba averiguar si el tipo tumbado en el despacho había vuelto a la vida. El tipo era de esos que lo primero que hacía después de recobrar el conocimiento era consultar las conversaciones que tenía pendientes. Lo vi aparecer en la pantalla, frotándose la cabeza, pero apagué el monitor y arranqué a Nené del asiento. Tenía que conocer otras cosas.

—Ven —le dije. Había allí una persona que la había reconocido al natural. Levanté a Nené y la llevé ante esa persona.

—Aquí tienes al verdadero Denis. Como ves, es negro.

Denis, pese a todo, parecía triste. La realidad es como la guerra, desconsolada cuando deja de verse a través de una pantalla. Se mantuvo con la mirada baja, en espera de que Nené saliese huyendo como la vez anterior. Pero Nené no se movió. Me miró a mí y empezó a reírse y a sentirse atraída, o llamada, por la tristeza exenta de recelo y reproche de aquel hombre negro que había dicho la verdad, pues era negro. Esto obraba en su favor. Era una tristeza cortés, dolorida, un paseo por la intemperie del verdadero amor. Denis se había deshecho de toda esperanza, que era la única condición para esperar, y miró a la puerta. Nené lo tomó de la mano con una delicada extrañeza. Denis debía de contener aún algo de lo que ella había conseguido prendarse en el pasado. Los dejé sentados en la barra, apostando el uno por el otro frente al tercer vaso de ginebra, y salí a la calle. Aquella historia, la que me había impuesto escribir, estaba repleta de recuerdos que no dejaban huella, que no presentaban las emociones necesarias para que un libro fuera grande y bello. Quizá Luengo se conformase con un libro inverosímil. Yo no. Yo necesitaba grandeza y belleza. Necesitaba descubrir un galeón sumergido, con todos sus tesoros, en el abismo de mi corazón. En la calle pensé que tenía varias posibilidades, y que un taxi podía llevarme a cualquiera de ellas. Así andaba el penoso resumen de mi vida. Algunas beneficiaban a Luengo, otras no, aunque desde el principio había dudado de que el libro saliera. Me había convertido en uno de esos personajes que podían susurrar sus deseos, pero no gritarlos. Un receptor de terapias secretas, un interno del manicomio de Charenton.

Tomé el taxi en la puerta del café Barbieri, y di la dirección de mi hogar. Mi esposa se había convertido en la mujer de *Wake-*

field, y mi hijo en el último Telémaco. Mientras lo pensaba, la sombra de Luengo me miraba por encima del hombro, como si estuviese escribiendo aquellos nombres invendibles en un libro con demasiados adjetivos.

—No tendrá ginebra, ¿no? —le pregunté al taxista.

No contestó, pero me miró por el espejo como si de todas formas no pensara dirigirme la palabra. Tenía la radio puesta, y de ella salía la voz de Angie Cartwright. La traductora hablaba en primera persona. Decía que a sus hijos también les encantaba la serie. El mayor había llegado a enamorarse de su madre, hasta que descubrió que era su madre, cosa que aún no le había perdonado. El taxista apartaba la cabeza del frontal y la dirigía hacia el otro asiento delantero. Entonces me di cuenta de que no era la radio, sino una televisión portátil que lanzaba fogonazos contra el salpicadero. El taxista miraba el televisor e insistía en observarme por el espejo retrovisor, así que deduje que mi foto había vuelto a salir detrás de Laura y Catwoman. El tipo terminó mirando más a la tele y a mí que a la carretera. Tuve que advertirle de que tuviera cuidado.

Había cometido el error de quitarme la gorra de visera, que llevaba en el bolsillo. Volví a ponérmela, y eso convenció al taxista de que yo era quien era, igual que Dios en el Sinaí. No obstante, siguió en silencio. Supuse que estaba acostumbrado a que subiera gente famosa a su taxi, y yo era un simple perseguido. Si me reconocía no iba a pedirme un autógrafo, iba a denunciarme. Camino de la M30, en el Paseo de la Reina Cristina no tomó el túnel que conectaba con la Avenida del Mediterráneo, sino que siguió por la calzada lateral hacia la plaza de Mariano de Cavia. No lo entendí, pero cuando alcanzó la rotonda disminuyó la marcha con la intención de pararse. Iba ya muy despacio y volvió la cabeza para preguntarme —no tuve la menor duda— si era verdad que no me hablaba con mi padre. No le dio tiempo. Un coche que subía por Menéndez Pelayo nos embistió por la parte delantera, golpeando la pequeña porción del capó que sobresalía del arriate de la rotonda. Vi a grandes rasgos, por un instante, la estela de luz amarilla que tantas veces había pintado —alentado por mi debilidad— contra el negro universo que surcaba el Júpiter 2, pero fue demasiado tarde para avisar a aquel taxista preocupado por mis relaciones familiares. La velocidad que traía el coche nos llevó dando vueltas contra los pájaros metálicos que baten alas sobre el agua de la fuente. Uno de ellos podía haber sido el último hálito del taxista, o el mío. Vi su cabeza llena de sangre apoyada contra el volante, y después, con mucho retraso, sentí un golpe en la mía que me tendió en el asiento trasero. Fue como si otra parte del coche que nos embestía volviese a golpear justo en la puerta donde yo estaba.

Tomé conciencia —y la perdí brevemente— varias veces, sin aferrarme a ninguna de las apariencias que se plantaban más allá de los cristales. Oí el ruido de disparos de cámara fotográfica. Curioso, porque me pareció que también los había oído antes de perder el conocimiento, así que quizá ocurriera como en las revistas, la televisión, los sueños y la política: nada es lo que parece. Lo más increíble fue que la televisión portátil seguía funcionando, y había venido a parar intacta al asiento trasero, de modo que yo seguía viendo a Catwoman, que no quitaba ojo a la Cartwright, con cara de haber anclado las apariencias al suelo con piquetas y vientos, para que el programa continuara pese al aburrimiento de todo el mundo. En esa pequeña televisión vi que contestaba al teléfono móvil y, de inmediato, le taparon la boca a Penny Robinson para anunciar una exclusiva: yo me había visto implicado en un accidente de tráfico. ¿Ya lo saben?, me asombré. En efecto, lo sabían, y eso solo podía deberse a que el tipo que estaba tirándome fotos era de ellos. Qué casualidad, pensé, pues no me hallaba lo bastante lúcido para descreer de las casualidades. Sin embargo, era evidente que si aquello era una casualidad yo debía de ser Marcello Mastroianni. El pensamiento era un préstamo, seguramente de Bowman y su obsesión por *La dolce vita*. ¿Quiénes eran ellos?, pensé. Ya que todos estaban conchabados —Catwoman, José

Gaviota, Luengo, los electrones del helio— era posible que hubieran organizado una fundación para meterme en líos como aquel. Incluso era posible que estuviese muriéndome, sin pleno conocimiento de ello, y aquel tipo continuara tirándome fotos para tener, al menos, el prestigio de que se las censuraran. No supe qué pensar mientras, lentamente, perdía la noción de todo. Click, click, click… era un día, que pasó, y lo que yo más quería, la muerte se lo llevó. La gente hacía tiempo que rodeaba el coche. Sentí en el cutis el soplo de los pájaros de la fuente de Mariano de Cavia, y oí con infinito cansancio —pese a que mis sentidos iban cerrando troneras y sumideros— a un hombre que miraba a través de la ventanilla y le decía a su acompañante:

—¿No es este tipo el exmarido de la princesa?